JOHANN FISCHART

Flöh Hatz, Weiber Tratz

HERAUSGEGEBEN VON
ALOIS HAAS

PHILIPP RECLAM JUN. STUTTGART

Universal-Bibliothek Nr. 1656/56a
Alle Rechte vorbehalten. © Philipp Reclam jun. Stuttgart 1967
Gesetzt in Petit Garamond-Antiqua. Printed in Germany 1967
Herstellung: Reclam Stuttgart

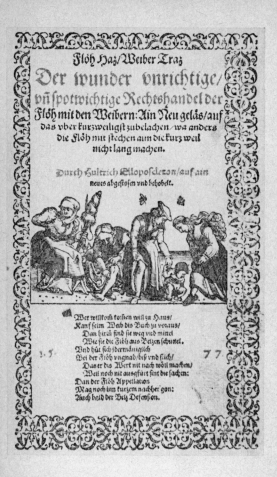

Flöh Haz/ Weiber Traz

Der wunder vnrichtige/
vñ spotwichtige Rechtshandel der
Flöh mit den Weibern: Ain Neu gelãs/auf
das vber kurzweiligst zubelachen/wa anders
die Flöh nit stechen aim die kurz weil
nicht lang machen.

Durch Huldrich Elloposcleron/auf ain
neues abgestosen vnd behobelt.

Wer wilkom kom̄en wil zu Haus/
Kauf seim Weib dis Buch zu voraus/
Dan hirã sind sie weg vnd mittel
Wie sie die Flöh aus Pelzen schüttel.
Vnd hüt sich idermäniglich
Vor der Flöh vngnad/biß vnd stich/
Das er dis Wert nit nach wöll machen/
Weil noch nit ausgfürt sint die sachen:
Dan der Flöh Appellation
Mag noch hin kurzem nacher gon:
Auch bald der Pelz Defension.

Glück zu on schrecken /
Das uns die Flöh nicht wecken.

HULTRICH ELLOPOSCLEROS.

Es hat ain mal das hoffen / harren /
Mich nit gemacht zu ainem Narren:
    Sonder mich nun ansehlich gmacht
    Das man mich gar für Klug jz acht:
5 Dan da ich erstlich dis Buch schmitt /
    Hoft ich gonst zuerlangen mit /
    Baides bei Mannen / so bedauren
    Das Flöh so auf ir Weiber lauren:
Und auch bei Weibern / die gern wüßten
10 Wie sie die Flöh ausbürsten müßten:
    Welches mir dan wol ist gerhaten /
    Dan ich bei baiden komm zu gnaden /
Weil ich dem Man die Frau begnädig /
Und auch die Frau von Flöhen ledig:
15 Solch gonst daraus ich merken kan /
    Weil jderman dis Buch will han:
Und man es nicht genug kan trucken /
So vil pflegt mans hinweg zuzucken:
    Auch weil ich kaum ain Haus schir find /
20 Da nur trei / vir Weibsbilder sint /
Da nicht dis Edel Büchlin sei
Und prang bei andern Büchern frei:
    Und hat so gros Authoritet
    Das es gleich beym Katchismo steht:

5 schmitt: schmiedete. – 13 begnädig: geneigt, angenehm machen. –
18 zucken: rasch wegziehen.

25 Ich rhit in / das sies lisen binden
Gleich an ire Betbüchlin hinden:
 Oder an Albert Magni Buch:
 Dan schönes tuch / das zirt ain pruch.
Ich hör auch / es hab ain dis Büchlin
30 Gewunden inn ain seiden Tüchlin /
 Und warm auf plose haut gebunden
 Da hab sie kain Floh meh empfunden /
Die lob ich / dise glaubt uns doch /
Dan wir es ernstlich mainen noch.
35 Auch sag ich dank den andern allen /
 Das sie die müh in lasen gfallen /
Dan O wie manchen giftigen biß
Thaten die Flöh / als ich schrib dis /
 Aber sie konnten mich nicht wenden /
40 Und solt sie der Flöhkanzler schänden /
Dan euer gonst und lib zuhaben
Fräut mich meh / dan der Schwarzen knaben.
 Wolan kauft auf / ir thut im recht /
 Versucht ob ir meh kaufen möcht
45 Als unser Trucker trucken nun /
So werd ir im ain Schalkhait thun.

---

25 rhit: riet; lisen: ließen (orthographische Eigenwilligkeiten Fischarts, denen zum Teil zeitgenössische Willkürlichkeit in der Rechtschreibung, zum Teil lokale Aussprache zugrunde liegen). – 27 Albertus Magnus: um 1316-90; aus Niedersachsen, Lehrer an der Pariser Universität; ihm wurde ein Werk *De secretis mulierum* zugeschrieben, das früh übersetzt und gedruckt wurde und vor allem im 16. Jh. weit verbreitet war. – 28 pruch: Bruch, Unterkleid, Hose. – 42 als die Gunst der Flöhe. – 43 thut im recht: macht es recht. – 46 Schalkhait: Bosheit.

Muck.

Was hör ich aus dem Winkel dort
Für ain gschrai / was kläglich wort?
   Es ist fürwar ain raine Stimm /
50   Daraus ich leichtlich wol vernimm
Das es nicht sein kan etwas gros:
Deshalb ich mich wol zu im los.
   Aber Boz Laus / es ist der Floch /
Wie komts? er springt jz nicht so hoch /
55   Als wan er pflegt die leut zustupfen:
Er kan jzunt kaum hinken / hupfen.
   Ich glaub im sei ain bain entzwai /
Er führt wol so ain jamergschrai /
Wiwol er sonst schweigt allezeit /
60   Weil schreien nicht dint zu seim streit /
   So gfrirt im jz der Schnabel auf:
Gewiß bedeits kain guten kauf:
Dan wie die Wunderbücher setzen /
Bedeits nichts guts / wan die Thir schwetzen:
65   Und (das ich wend gros gleichnus an)
Wan singt der Schwan / so stirbt er dran /
Und mancher der lang Redlos ligt /
Red doch / wann nun der Tod sich fügt /
   Und der Krank / so lang nicht kont essen /
70   Darf zu lez dem Tod zu laid fressen:
Und die Sau / so sonst allzeit grummt /

vor 47 Muck: Mücke, Fliege. – 52 los: lasse; wie V. 104 stroß:
Straße. Sonst losen = lauschen. – 55 stupfen: stoßen, stechen. –
61 gfrirt . . . auf: taut auf. – 62 bedeits: bedeutet es. – 71 grummt:
brummt (grunzt).

Schreit anders / wenn der Mezger kummt:
Also sorg ich / meim Sommergsellen
Wöll der Tod nach der gurgel stellen:
75 Wolan / ich will im hören zu /
Was in dazu bewegen thu.

Floch.

Ach wie kan ich auch länger schweigen?
Der troz will mir zu hoch auch steigen /
Der unbill pricht mir auf den mund /
80 Gleich wie ainem geschlagnen Hund.
Wem soll ich aber mein Not klagen?
Den Menschen kan ichs nicht wol sagen
Wiwol sie von Natur erkennen
Was gut / und was recht sei zunennen /
85 Diweil sie mir sint gar gehässig /
Und der Ghässig spricht unrechtmäsig.
Soll ichs dan meines gleichen sagen /
So wird er mir hinwider klagen /
Ist also klag um gegenklag /
90 Welche kainen nichts frommen mag /
Wa nicht ist ainer / der es richt /
Und nach dem Rechten drunter spricht.
Derhalben will ich zu dem flihen
Von dem wir all den anfang zihen /
95 Welcher nach seiner güt und macht
Auch nicht das gringste gschöpf veracht /
Und uberal ganz nichts verwarloßt /
On des will kain Thir sein har loßt.
Darum O Hoher Jupiter
100 Mich armes Thirlin nun gewär /
Seh an / wie ich geplaget bin /
Das ich wais weder aus noch hin /

---

74 stellen: trachten. – 94 anfang: Ursprung; zihen: ziehen, nehmen
(initium ducere).

Wan du nicht werst / so stünd ich plos /
Man stellt mir nach auf alle stros /
105 Man verfolget mich also sehr
Als ob der ärgste Bub ich wer /
Hab doch kaim nie kain Roß gestolen
Und kainen umgepracht verholen:
Het ich Löwen und Bärn weis
110 Das ich die Menschen niderreis /
Oder stil wie der Wolf die Schaf /
So verdinet ich vileicht straf /
Aber ich bin unschultig dessen /
Noch mus das Läberle ich han gessen:
115 Und mus gethan han die gröst schmach /
Und bin doch nicht so gros darnach:
Ich mus allain har lasen gar /
Hab doch am ganzen leib kain har:
Seh / wie ich nur bin zugericht /
120 Ei das nicht drob der Himel pricht /
Ich seh kaim ehrlichen Floh meh gleich /
Ich bin ain lebend todenleich /
Das macht ain unzarts Frauenbild /
Die wol haißt ain hart rauhes Wild /
125 Wiwols ain linden Belz trägt an /
Thut sie kain lindes herz doch han.
Dan ich mich selber nun erbarm /
Das ich hab kain ganz bain noch arm:
Hetst mir O Jupiter nicht geben
130 Nach deiner fürsichtigkait eben
Also vil bain / jz het ich kain /
Und müßt entweder tod nun sein /
Oder müßt von der Schlangen lehren
Auf meim bauch kriechen / und mich nehren

108 verholen: heimlich. – 109 Bärn weis: Bärenart. – 111 stil: stehle.
– 114 Noch: dennoch (wird mir die Schuld gegeben). Anspielung auf
das Märchen vom Bruder Lustig. Vgl. Grimm, *Kinder- und Hausmärchen* 81. – 115 schmach: im Sinne von Frevel.

135   Dan ich wol ain halb totzend füs
         Im lauf jzunt dahinden lis /
     Die sie gewis nun auf wird henken
     Zum Spigel irs Sigs zugedenken.
         Das ist weit ain anderer schad /
140   Als den das Hündlin von Bretten that.
     Ach / ich kan mich kaum kehren / wenden /
     Also sint mir zerrürt die Lenden /
         Als wer ich an der Folter ghangen /
         Und het gebeicht alls was vergangen:
145 Ja Foltern komt mir wol inn sinn /
     Dan sie ist wol ain Henkerinn:
         Aber kaine Beichtmuter nit /
         Dan sie gibt kainen Ablas mit:
     Sie riß hinwegk mir plez und fleck
150 Es äs es schir kain Wolf hinwegk:
     Man zält schir alle Rippen mir /
         Das Eingewaid heraus will schir:
     Der Kopf ist mir voll beulen / schrunden /
     Als het in mir ain Kifer gbunden.
155   Seh / wie mir ist verwirrt das knick /
         Als wer ich gfallen von aim strick /
     So nah grif sie mir nach der hauben /
     Das ich mich gar kaum aus mocht schrauben /
         Und jz kaum kan gen Himel sehen /
160   So schön kont sie den hals mir trehen.
     O du bös unbarmherzig art
     Die von kaim Menschen gboren ward /
         Sonder vom Crocodil komt her
         Der zum Mord waint vor fräuden sehr.

---

135 totzend: Dutzend. – 140 Diesem treuen Hunde wurde der
Schwanz abgehackt. Vgl. Fischarts *Geschichtklitterung*. – 142 zer-
rürt: zerrieben; Lenden: Weichen, Nierengegend. – 149 Sie schlug
mir Wunden und Flecken. – 153 schrunden: Schrammen. – 154 Kifer:
Küfer. – 155 verwirrt: verrenkt; knick: Genick. – 157 nach der hauben greifen: arg zusetzen, schlimm behandeln. Vgl. *Geschichtklitterung*.

165   Dan als es mir am ärgsten ging
        Bei dem haz / welchen sie anfing /
            Da lacht sie zu all disen dingen
            Das irn die Augen ubergingen.
        O Jupiter / wie kanst zusehen
170   Solche unbillichait geschehen?
            Diweil alle unbillichait /
            Erweckt Got zur unwilligkait.
        Ich thu je dis / dazu mich schufst /
        Und nehr mich / wie du mich berufst /
175   Etwa mit ainem tröpflin Pluts /
            Und thus nicht / wie man maint / zu truz /
        Sonst müßt zu truz der Mensch der Erden
        Sie so zerackern mit den Pferden /
            Und müßt zu truz dem Schaf es bschären /
180   Dem Baum zu laid die Frücht verzeren:
        Dazu die Menschen Nain doch sagen:
        Welches doch oft nicht zu will tragen /
            Wann sie es prauchen uberflüssig /
            Dan hizu sint die Gschöpf vertrüssig /
185   Was aber man gibt aus urtruz
        Da nimts der Nemmer je zu truz.
            Und der meh / dan er bedarf / sammelt /
            Da neben im noch mancher mangelt /
        Der nimt dem Gschöpf je vil meh ab
190   Dan im Got und die Natur gab /
            Weil die Gschöpf sind zur Nötlichait
            Gschaffen / nicht zur Neidlichait.
        Ich aber trink nicht uberflüssig:
        Dan uberfluß treibt nur der müsig.
195   Ich aber kan nicht müsig sein /
            Weil ich mit müh erlang das mein /

---

166 haz: Hetze; bei Fischart immer maskulin. – 174 berufst: wie du
es mir bestimmt hast. – 182 zu will tragen: zutreffen will. – 184 Davon haben die Geschöpfe Verdruß. – 185 urtruz: Überdruß, Verdruß,
Widerwille. – 186 Nemmer: der Nehmende.

Welchs mir doch von Rechtswegen ghört /
Und doch darob stäts werd verstört:
　　Dan wa kain sicherhait nicht ist
200　Daselbs die uberfluß nicht nist.
Und wann ich mich schon ubertränk /
So trink ich doch aus kainer Tränk /
　　Dahin man es vor längst thet schöpfen /
　　Dan ich mit Not erst meins mus zäpfen /
205　Darzu man mir nicht laßt der weil /
Sonder ich mus thun inn der eil.
　　Was aber gschicht mit eil und müh
　　Das würd kainen faißt machen nie.
Der Esel / so das Bronnrad tritt /
210　Würd von dem Wasser faißter nitt /
　　Welches er mus heráusser spinnen /
　　Er trinkts gern / da es selbs thut rinnen.
Und ist auch schir kain wunder zwar /
Das ich so klain mus pleiben gar /
215　Diweil ich je nicht kan gedeien
　　Bei solchem schrecken / sorgen / scheuen.
Dan sorg und angst dörrt aus das herz /
Den Leib verzert des Gmütes schmerz:
　　Es wundert mich / das wir arm Flöh
220　Stäts pleiben schwarz / wie es uns geh /
Da wir doch grau wol solten sein /
Vor groser mülichait und pein
　　Aber man sicht nicht stäts an haren /
　　Ob ainer etwas hab erfaren /
225　Sonder an der Stanthaftigkait /
Ob ainer tragen mag das laid /
　　Dan welcher stirbet gleich vor schrecken
　　Den soll man mit Kükat bedecken.
Ich möcht wol mein Verfolger fragen
230　Warum sie mich so jagen / plagen /

200 nist: nistet. – 211 herausser spinnen: herausarbeiten. – 228 Kükat: Kuhmist. Begräbnis in Kot und Sumpf war Strafe für Feiglinge.

So ich doch nicht den leib verzer?
Sonder vom uberfluß mich nehr?
Vom Plut / welches vileicht ist bös /
Und auslauft inn der Aderläs?
235 Sparen also den Schräpferlon
Das sie nicht inn das Bad darf gon.
Wie manche het der Tod verzuckt
Het ich nicht ir bös Plut verschluckt?
Darum mus ich so schwarz auch sein
240 Weil bös Plut nicht schön farb gißt ein.
Sie fangen doch oft selber auf
Die Plutägel mit grosem hauf /
Und thun auf ire haut die setzen
Das sie das bös Plut ausher letzen /
245 Und wöllen solchs von uns nicht haben /
Die wir doch auch han dise gaben /
Und besser / diweil wir bei inen
Gewont sint / und gar gern in dinen.
Jene aber sint aus dem Mur /
250 Daraus sonst komt alle unfur.
Wir thun doch nicht / gleich wie die Binen /
Die inen / wie sie sagen / dinen /
Dan wann sich die an Leuten rechen
Lan sie den Angel zu dem stechen:
255 Welches dan ist ain solches we
Desgleichen nicht thun tausent Flöh.
Noch halten sie die für des weiser /
Und bauen inen dazu Häuser:
Uns aber / als das Höllisch Hör
260 Verfolgt man bis ans äuserst Mör /
Da wir doch kainen Angel lasen
Sonder bös Plut herauser plasen.
So sint wir auch kain Scorpionen /

---

237 verzuckt: in die Agonie gebracht. – 244 letzen: schmausen. –
249 Mur: Schlamm, Sumpf. – 250 unfur: Unglück. – 254 Lassen sie
den Stachel heraus, um zu stechen. – 257 des: desto.

          Die mit Gift wolln ir stich beschonen /
265   Sonder wann ainer sich nur juckt
          Ist unser stich alsbald vertruckt:
               Was sag ich stich? es ist kain stich /
               Ain kützeln ist es aigenlich.
          So sint wir auch nicht so ungschliffen
270   Wie Filzläus / die inn d haut einschlifen /
               Die man gar tif heraus mus zwacken
               Mit langen Nägeln / wie mit Hacken /
          Drob mancher die zän zsamen beißt
          Wann er das plutig har ausreißt /
275   Da freß der Teufel mit aim kraut /
               Wann ich dran denk / mir selber graut.
          Wir aber hupfen gleich davon /
          Wann wir ain stichlein han gethon:
               Und machen nicht vil federlesen /
280   Man würd uns sonst gar ubel messen.
          So stinken wir wie Wantläus nicht /
          Dern man sich schämt / wann man sie richt:
               Sonder wir sint das sauberst Thir
               Dessen kainer sich schämet schir:
285   Und wiwol wir kain Bisam legen /
          Darf man uns doch auch nicht nachfegen /
               Und komt noch kainer / der kan wissen
               Wahin wir prünzlen oder pissen:
          Wiwol es uns zum schaden raicht:
290   Dan wann wir stänken auch vileicht /
               Würd uns das sauber Frauenzimmer
               Zwischen den fingern reiben nimmer.
          Entlich stechen wir auch kain beulen /
          Wie die Schnaken / die dazu heulen /
295   Sonder es gibt ain Rotes flecklin /

---

264 beschonen: bemänteln, beschönigen. – 270 einschlifen: hinein-
schlüpfen. – 275 Wohl eine Redensart. – 281 Wantläus: Wanzen. –
285 Bisam legen: Bisam von uns geben. – 288 prünzlen oder pissen:
Wasser lassen.

Welchs oft wol steht an ainem Bäcklin /
Und wann sie solchen wolstand wüßten /
Sie litten oft / das wir sie küßten /
    So dörften sie die plaiche backen
300   Nicht erst mit fingern pfetzen / zwacken:
Oder mit Nestel Leder reiben /
Oder mit Glanzstaub sie bestäuben.
    Wie manche han wir durch solch possen
    Verkauft / da sie sonst wer verstosen?
305 Han manchem Bulen / so thet liben /
Ain Weis Ros für ain Rot vertriben?
    Hisen also Ehwerber wol /
    Die man inn ain Statt kaufen soll.
Noch tragen wir kain dank davon /
310 Sonder der Gutthat lon ist hon /
    Der Welt trinkgelt ist gallentrank
    Welcher verbittert allen dank.
Dan sie / die wir so treulich mainen /
Das wir bei in meh sint / dan kainen /
315   Die verfolgen uns noch vil ärger
    Als Waidvergifter / Landverherger:
Des steh ich zu aim Schauspil hie /
Verwunt / das ich kaum Atam zieh /
    Und kan dir Jupiter kaum sagen /
320   Was groser unbill ich mus tragen /
Diweil mir würd das herz zu schwach
Wann ich red / und ersinn die sach.
    Die schmach / wann man ir denket nach /
    Kränkt ainen / und bewegt zu Rach.
325 Es solten alle Flöh forthin
Zu laid disen Flöhhenkerin /

Wann sie in schon all füs ausrissen /
Noch kriechen / das sie sie nur bissen /
Und Jovem betten um ain Angel /
330   Das sie einprächten iren mangel /
Ja ainen treispitzigen spis /
Den man biß an das häft in stis:
Ja das der fromme Jupiter
Mit seinem stral schis inn sie her /
335   Und leret sie solch Mutwill uben
An Gschöpfen / die niman betrüben:
Aber / wie ainer schrib ainmal /
Es sint gar teur bei im die stral /
Weil alt ist worden der Vulkan /
340   Das er nicht wol meh schmiden kan:
Oder die stral sint bei im werd /
Das er nicht um ain jde bschwerd
Sein stral so liderlich verwaget /
Gleich wie man von Sant Peter saget /
345   Der / als er Herr Got war ain tag /
Und Garn sah stalen aine Magt /
Wurf er ir gleich ain Stul zum schopf.
Erwis also sein Peterskopf:
Hets solcher gstalt er lang getriben.
350   Es wer kain Stul im Himel pliben:
Also solt Jupiter so oft
Als man verdint / das er uns stroft /
Seine stral auff uns schisen los /
Er het schon längest kain geschos:
355   Doch soll drum kainer sicher sein /
Ain langsam pein ist lange pein:

---

337 So zitiert Fischart oft nur zum Schein, auch wenn er kein bestimmtes Werk meint. – 338 stral: Pfeile, Blitzstrahlen. – 344 Vgl.
das Märchen vom Schneider im Himmel (Grimm, *Kinder- und Hausmärchen* 35). – 348 Peterskopf: ein Eigensinniger. Im 16. Jh. hielt
man alle Peter für wunderlich; vgl. Murners *Narrenbeschwörung* 85, 1.
– 351 ff. Anspielung auf Ovid, *Tristia* 2, 33.

Und allzeit unter der langmut
Bindt Got den Sichern ain lang Rut /
   Welches auch ir Flöhmörderin
360   Wol füren möcht zu herz und sinn:
Dan es würd nicht sein allzeit Feirtag /
Sonder es komt ainmal ain Feurtag /
   Da der zorn / so lang glüht und feiret
   Plötzlich anprent / und alls verfeuret:
365 O könt ich jz ain Hagel kochen /
Ich lis es doch nicht ungerochen.
   Dan wie kan ich mir doch abprechen /
   Das ich mich nicht solt greulich rechen?
Weil sie / als die greulichste Feind
370 Ermört han mein getreuste Freund?
   Mein Eltern / Gschwister / und mein Brüder
   Ja mein Gemal / die libe Müter:
Ach das mir nicht for grosem schmerz
Inn tausent stuck zerpricht das herz
375   Wann ich gedenk / das die lib Freund
   Dazu noch unbegraben seind:
O wer ich grad / ich wagt die haut /
Diweil sie doch for ist zerhaut.
   Ach / warum hast mich also gmacht
380   Dem Weibsvolk nur zur Opferschlacht:
Oder warum hast also gschaffen
Die Weiber / das sie uns nur strafen?
   Entweder es solten sein kain Flöh /
   Oder kain Weib solt werden meh /
385 Diweil sich die baid nie vertragen /
Es mus ainmal ains lan den kragen /
   Aber es ist gar ungleich ding
   Das ain Zwerg mit aim Risen ring.

---

365 Hagel kochen: Hagel durch Kochen von Zauberkräutern bereiten,
eine bekannte Hexenkunst. – 367 mir abprechen: darauf verzichten. –
377 grad: gerade, nicht zerhauen, unverwundet. – 386 kragen: Hals,
Leben.

Darum was zürn ich lang dazu /
390   Mit zorn ich we mir selber thu:
      Ich wills dir Jupiter befelen
      Du kanst mein Recht zu Recht bestellen:
Rech du den Mord inn unserm namen /
Las uns dein gschöpf nicht so beschamen:
395   Dan nicht an Bösen uben rach
      Das haißt den Frommen anthun schmach:
Und wa man nicht die Bösen strafet /
Mainen sie / sie hans wol geschaffet /
      Und werden dan halsstarrig drinnen /
400   Das täglich ärgers sie beginnen:
Derhalben solchem fürzukommen /
So helf / O Jupiter / den Frommen:
      Und helf mir auch von disem schmerzen
      Den ich trag baid am leib und herzen:
405   Dan ach / ich werd vom Reden schwach /
      Es will mir schir vergehn die sprach:
      Aber / was hör ich rauschen hie /
      Ich glaub / es thu not / das ich flieh:
Aber wa will ich hinaus flihen /
410   Ich kan doch kaum die lenden zihen:
      An mir gilt jz nichts der Nam Floh /
      Dan warlich ich nicht sehr wol floh:
O wer ich jz ain Muck und Fligen
So könt ich davon jzunt fligen:
415   Dan wa ich nur was rauschen hör /
      Förcht ich / es komm ain Flohfeind her.

Muck.

Ich kan mich nicht enthalten meh
Das ich nicht zu meim Gsellen geh /
      Und in anred um seine klag /
420   Ob ich in vileicht trösten mag:

394 beschamen: zuschanden werden.

Dan warlich / wie ich an im seh /
So ist im biß zur Sölen we.
    O Bruder / libster Sommergsell /
    Wa komst inn dises ungefell?
425 Wer hat dich also zugericht
Das man dir biß zur Söl schir sicht?
    Ich hab von weitem wol vernommen
    Das du bist unter Mörder kommen /
Aber ich kont nicht merken eben
430 Wie sich doch solches hab begeben.
    Derhalben ists dirs nicht vertrüssig /
    Erzel mirs / weil ich doch bin müsig.

Floh.

Ja Bruder / bistu / wie sagst / müsig /
So bin ich / wie sagst auch vertrüsig:
435   Der Jupiter wöll dir nur geben
    Lang ain solchs sicher / müsig leben /
Und mir verwenden mein vertruß
Zu trost / und meinem Feind zur bus.

Muck.

Ach lieber Floh / mein Sommergsell /
440 Dich ab mir nicht so fremd nun stell /
    Ich red es dir nicht zu vertruß
    Das ich sag / wie ich nun hab mus.
Aim der allzeit betränget ist
Thut für ain Jar wol ain klain frist:
445   Und der / so jzunt würd beträngt /
    Nicht an vergangen gut tag denkt:
Es ist mir etwan ubel gangen
Hab etwan auch gut tag empfangen:

---

422 biß zur Sölen: bis zur Seele (?) – 424 ungefell: Mißgeschick. –
437 verwenden: abwenden, verwandeln. – 440 ab mir: gegen mich.

    Es geht dir jzunt herb und rauch /
450   Es ging dir etwa besser auch:
Hat es sich können nun verbösern
Es kan sich wider auch verbessern.
    Derhalben sei nicht also schmäh /
    Und denk / das ichs gern besser seh /
455   Ain Freund sicht gern den andern gsund /
Sicht er in krank / würd sein herz Wund:
    Ist dein Feind krank / so bin ich gsund /
    Ist dein Feind gsund / so bin ich wund.
Dan fräud und laid / ist Freunden gmain /
460   Und leid und fräut sich kainr allain.
    Derhalben wolst zu gut mir tragen
    Das ich dich wie ain Freund thu fragen:
Kan ich dir schon kain hilf erwerben /
Kan ich dir doch auch nichts verterben
465   Wann mir schon sagest dein anligen:
    Es kränkt ain / was inn aim pleibt ligen /
Und was ainer nicht ausher sagt
Dasselbig aim das herz abnagt /
    Den schaden schweigen / macht in steigen /
470   Und in anzaigen / macht in naigen:
Verschwigen Schäden wachssen haimlich
Das man sie nie darnach hailt rainlich /
    Das laid würd leidlicher damit
    Wann man es meld / und ausher schütt /
475   Dan wer seim Freund thut sein laid klagen /
Sucht ainen ders im halb hilft tragen.
    Hirum mein liber Sommergfärt
    Sag her / wer hat dich so beschwärt?

Floch.

O Freund / die so gsund und wolleben
480   Können gut trost den Kranken geben:

---

453 schmäh: verächtlich. – 461 zu gut mir tragen: mir zugut halten.

Aber kain Gsunder glaubet nit
Aim Kranken / wie im sei damit.
Derhalben wann ichs dir schon klag /
So mach ich mir für ain trei plag:
485   Erstlich bekümmer ich damit
Den / der mir doch kan helfen nit.
Folgends / so mus ich zweifeln schir /
Ob man den schmerzen glaubet mir.
    Fürs lezt / und welches ist das gröst /
490   Ich mich damit inn kain weg tröst:
Sonder verneu den schmerz zur stund /
Und hau inn aine frische wund /
    Man soll aber nichts schlafend wecken /
    Welchs wann es wacht / nur pringet schrecken.

M u c k .

495 Ach das sint schlecht entschuldigung
Aim Kranken / der sucht besserung /
    Fürnämlich bei aim guten freund /
    Ders mit seim Freund / wie mit im gmaint.
Gut Rhat und trost steckt nicht allain
500 Bei denen die ansehlich sein /
    Sonder oft aim / so ist ringschätzig /
    Und nicht vil mächtig / prächtig / schwätzig /
Dem seine wiz ligt inn der äschen /
Da der Reichen ligt inn der täschen:
505   Die Täschenwiz nicht länger gilt
    On als lang man hat gelt und gült /
Die Aeschenwiz rhut wie ain Schaz /
Und scheint / wann man sie fürher krazt:
    Solt man oft Rhats den Büttel fragen
510   Solts besser dan der Schulthais sagen.
Der Reichen Rhat zum pracht nur gschicht /

501 ringschätzig: der gering geschätzt wird. – 506 gült: Zins, Einnahme. – 509 Büttel: Beutel. – 511 zum pracht: zum Prahlen, vgl. V. 837.

Da es der Arm von herzen spricht.
  Bey grosen ist die wiz aufgplasen /
  Darauf man sich nicht darf verlasen:
515 Bei denen / so sint niderträchtig /
  Ist sie unscheinbar / doch sehr mächtig:
    Als wenig die Stärk ist allain
    Den Hohen und grosen gemain /
  So wenig hat auch Rhat und wiz
520 Allain inn Hohen iren siz:
    Gemainlich würd Grosmütigkait
    Bei Hohen zur Hochmütigkait /
  Und ir macht würd zu ainem pracht /
  Ir Rhat zur gwaltsamen That tracht:
525   Da der gering mus halten ein /
    Mit treu und gwissen thun das sein.
  Bin ich schon klain / kaim Strausen gmäs /
  Hab ich gnug wiz zu meiner grös /
    Zu meiner grös / bin ich gnug bös /
530   Schreck manchen auch mit meim getös:
  Der Straus ist gros / doch sein wiz klain /
  Dan er maint wann er steck allain
    Den Kopf / das man den nicht kan sehen
    So sei der ganze leib versehen
535 Und thut gleich wie die karge Füchs
  Verwart das gold / und gnißt sein nichts:
    Klain Leut bedörfen klaine lucken /
    Gros Leut sint nicht bald zuvertrucken.
  Der Raineke Fuchs kam durch ain loch
540 Darinn der Bruninger steckt noch /
    Klain Leut bedörfen klainen Rhat /
    So kommen sie aus grosem schad /
  Gros Leut auch grose hilf bedörfen /

---

515 niderträchtig: niedrig, geringen Standes. – 525 einhalten: zurückhalten, daheimbleiben. – 537 lucken: Löcher als Versteck. – 539 Anspielung auf *Reynke de Vos* V. 1140 f. – 540 Bruninger: Beiname des Bären, im *Reynke de Vos* ist aber die Wölfin gemeint.

Dan inn der enge sie sich schärfen /
545   Inn summ / das klain komt auch zustatten /
    Ain klains härlin gibt auch ain schatten.
Und het ich schon nicht die genad
Das ich aim andern weislich rhat /
    So waist den Spruch doch / der umgaht /
550   Die Lib sucht Rhat / Der Kib sucht that.
Die lib zu aim / lehrt ain oft rhaten
Damit er sein Freund rett aus schaden:
    Kan ich dir schon nicht rhaten weislich /
    Will ich dir doch gern rhaten treulich.
555 Zum andern / liber Spisgesell /
Ist dis an dir ain groser fäl /
    Das du aim Freund darfst trauen zu
    Das er dir nicht wol glauben thu:
Dan dis ist aller freuntschaft gift
560 Mistrauen / den der Teufel stift.
    Und wie solt ich nicht ainem glauben
    Den ich armselig seh for augen?
Das aber sorgst / du möchst erfrischen
Ain schmerzen / so wer zuverdüsten /
565   So halt ich dich als ainen Floch /
    Von gmüt so standhaftig und hoch /
Das du abprechen könst deim laid /
Und nicht erligst von traurigkait:
    Dan weil in eurem Flöhgeschlecht
570   Es gibt vil Ritter und Krigsknecht /
So steht es zwar nicht Rittermäsig
Ab jdem kommer sein mutläsig /
    Ain Man soll im laid nicht verzagen
    Und inn Fräud nicht zu hoch sich wagen /
575 Derhalben traust mir gutes zu
So sag / was dir anligen thu?

---

550 Kib: Eifer, Zank. – 564 verdüsten: vertuschen, verbergen. –
567 abprechen: verringern. – 572 in jedem Kummer den Mut verlieren.

Wer soll dem Kranken anders rhaten
Als der Gesund / so ist on schaden?
Und auch zufor erfaren hat /
580   Was Krankhait ist / und was sie schad?
Wie sol ain Krank dem andern dinen /
So sie for schmerz zusamen ginen?
Es muß der Blind den Lamen tragen
Und der Lam mus den weg recht sagen /
585   So würd ir kainer nicht verkürzt /
Da sonst ain Plind den andern stürzt.

Floh.

O Freund / dein trost erquickt mich was
Das ich schir werd was kecker baß /
Dan ain getrost herz / ist halb hailung /
590   Und antworten ain halb kurzweilung.
Du bist fürwar ain Held mit trösten
Ich hets gesucht nicht bey dem grösten:
Bist nicht allain ain Sommerfreund
Sonder Winter und Kommerfreund:
595   Baid Nuz im Sommer und zu fräud
Und auch im Winter und zu laid.
Diweil du dan nicht nach wilt lan
Biß ich dir zaig mein leiden an /
Und nicht des minder auch ist wor /
600   Gleich wie du hast gesaget vor /
Das ainem werd sein leiden leicht
Wann er es ainem Freund nur beicht /
So will ichs dir gleich nun erzelen
Was und wer mich thu also quelen:
605   Und will ain keck herz an mich nemmen:
Durch standmut alle Klainmut temmen:
Aber / seh / wie mirs jzunt geht /

---

582 ginen: gähnen, den Mund aufsperren. – 587 was: etwas.

Da ich anfang / die Red mir steht:
Das herz ist gros / der schmerz noch gröser /
610   Das herz ist gut / der schmerz noch böser.
Dan wie kan denken ich on wainen
Den jämerlichen Tod der meinen?
   Ei / das ich nicht auch pliben binn
   Bei inen auf der Walstatt drinn.
615 O Bruder / du bist wol glückselig
Du kanst fligen / wann dir ist gfellig /
   Ich aber wann ain haz anfängt
   Das ain Flöhklauberin uns trängt /
Da mus ich nur hoch hupfen / springen
620 Und kan mich doch nicht dannen pringen
   Es dörft / das ich vil flügel het /
   Weil sie durchsuchen die ganz stett:
Dan seh / ich hab mich wol gepraucht
Gedanzt / gehupft / auch das ich kaucht /
625   Noch kam ich besser nicht davon /
   Als wie du mich sichst for dir ston:
Dan das recht Aug / und noch vir bain
Die sint dahinden pliben rain /
   On was ich hab für plez und Wunden /
630   Und gfallen bin für beulen / schrunden.

M u c k.

Ja / laider / das seh ich zu wol /
Das wüst bist gfaren durch die Roll /
   Aber jzunt ich gern vernäm
   Waher dir doch der unfall käm:
635 Und das du mich glückselig schäzst
Diweil ich flig / unweislich schwezst /

---

608 steht: stockt. – 621 dörft: wäre nötig. – 624 kaucht: keuchte. –
629 plez: abgestoßene Haut. – 632 wüst gfaren durch die Roll: übel
mitgenommen.

Dan welchem Kind ist nicht bekant /
Wie es mich fang mit holer hand /
Und dan entweder mich berupf
640   Auf das ich / gleich wie du / auch hupf /
Oder mit mir kurzweil und geck
Und inn ain Muckenhäuslin steck:
Da mir bald nach dem Sprüchwort goht /
Der Katzen schimpf ist der Maus tod.
645   Oder sie machens Türkisch greulich
Martern mich sonderlich abscheulich /
Stecken mich an ain Nadelpfol
Und treiben mich dran umher wol:
Wann ich zur lez dan pfeis und schrei
650   So lachen sie zur Musik frei /
Mainen / wie der / so Schnecken briet
Man sing inen zu traz ain lid /
Oder stecken an ain Gluf treisig
Und praten sie beim lichtschein pfeisig /
655   Oder den Kopf sie uns abknicken
Und zu den plinden mäusen schicken:
Und solchs thun nicht allain die jungen /
So singen wie die Alten sungen /
Sonder baid Mann und Weib sich fleissen
660   Das sie uns alle schmach beweisen /
Mit Leimruten / und Gprentenwein /
Und was dergleichen Luder sein:
Sie jagen uns mit Muckenwädeln
Wie dPfaffen das Gspänst mit Sprengwädeln:
665   Auch müsen dran prait Schusterplez
Damit man vil ainsmals verlez:
Hörst nicht vom tapfern Schneiderknecht

641 geck: Narrheit treibe, scherze. – 644 schimpf: Vergnügen. –
649 zur lez: zum Abschied, d. h. vor dem Sterben; pfeis: zische. –
653 Gluf: Nadel; treisig: dreißig. – 656 blenden, töten. – 661 Gprentenwein: Branntwein. – 662 Luder: Köder, Lockspeise. – 666 vil
ainsmals: viele auf einmal. – 667 Vgl. das Märchen vom tapferen
Schneiderlein (Grimm, *Kinder- und Hausmärchen* 20).

Der trei inn aim straich tödet schlecht?
Ja auch die Vöglin sie anweisen
670   Als Muckenstecherle und Maisen:
Und fürnemlich schad uns die Spinn
Die recht Ertzmuckengifterin:
    Helfen also uns nichts die Flügel
    Das man uns nicht prächt inn die Rigel /
675   Darum schweig von glückseligkait /
Aim jden ist sein Spinn berait /
    Und den Spinnen ir Spinnenstecher /
    Es hat ain jdes seinen Recher.
Und sag mir jzunt her darfür
680   Wie es doch sei ergangen dir?

F l o h.

Nun Pruder / wir sint ains des Streits /
Jder maint / er hab das gröst Kreuz:
    Du hast ain Spinn / die dich sehr plagt /
    So main ich / die so mich stäts jagt /
685   Die sei die Erzspinn aller Spinnen /
Dan sie auch listig ist von sinnen /
    Zu dem das sie stäts greulich ist
    Wider das Volk der Flöh gerüst /
Schlägt aber list zur greulichait
690   Hilft für den Tod kain gscheidigkait.
    Ja / das ich dirs mit ain wort sag /
    Die Weiber sints / darab ich klag /
Das sint die rechten Erzflöhspinnen /
Welcher Nez man kaum kan enttrinnen /
695   Dan sie nicht ain Web han / wie dein /
    Diweil sie Tausentkünstlerin sein /
Sonder Weben all augenplick /
Das sie uns jagen inn ir strick.

---

670 Muckenstecherle: der Vogel Muscicapa grisola, grauer Fliegen-
fänger. – 692 darab: über die.

    Und welches doch gar ist abscheulich /
700   Sie sint nicht für sich allain greulich /
Sonder verfürn aus bösem mut
Die Kinder / das unschultig Plut /
    Und lern sie für die Hailigkait
    Das Flöhknicken und greulichkait /
705 O wie werd ir schwer Rechenschaft
Geben / wa ir es nicht abschaft.
    Ir Müter dörft nun niman klagen
    Das so ubel die Kind ausschlagen /
Als euch nur selbs / die ir sie lehrten
710 Wie sie unschultig Gschöpf ermörden /
    Und ir zart Näglin gleich beflecken
    Mit Plut / und sie darauf auch lecken:
O ir wißt nicht / was Plut vermag /
Es kochet inn aim sein lebtag /
715   Biß entlich es ainmal ausprech /
    Und sich an seinem Thäter rech:
Auch schuldig Plut nagt aim den Mut /
Ich gschweig was das unschultig thut.
    Wazu man erst die Kinder zoch
720   Das geht in all ir lebtag noch:
Die Statt Sparta / wolt ainen Knaben
Von Königlichem Stamm nicht haben
    Zum König / da sie han erfaren
    Das er auch bei Kintlichen Jaren
725 Den Vöglin stach die augen aus /
Dan sie namen sein art daraus /
    Das so ers alter solt erlangen
    Würd er wol greulichers anfangen:
Was würden sie gesaget haben
730 Zu unseren Mäidlin und Knaben?
    Die nicht die armen Flöh nur plenden /
    Sonder sie töden und gar schänden?

---

703 für die: anstatt der. – 708 ausschlagen: geraten.

Aber was ist sich zuverwundern
Wann inn der hiz die Wolken tondern?
735   Das ist / wann jugend ist mutwillig
    Welche es inen halt für billich?
So es doch kalte Wolken thun?
Das ist / die alte Vetteln nun?
    Die doch auf der verschmorten haut
740   Nicht solten fülen / wann mans haut /
Angesehen / das der Schrepfer doch
Neunmal haut / eh er macht ain loch.
    Aber (das Aber macht mich alber /
    Wer Aber sagt / der hats nur halber.)
745 Was soll ich von den Vetteln sagen?
Ich mus noch Edler Gschlecht verklagen /
    Namlich die zarte Jungfraubilder /
    Die sich auch nicht erzaigen milter /
Sonder sint unjungfräulich greulich /
750 Denen doch Plut solt sein abscheulich /
    Diweil man mancher doch den Rüssel
    Aufprechen mus mit ainem Schlüssel /
Wann sie sich nur sticht mit der Nadel /
Da es wol thät ain Farrenwadel.
755   Dan das ich dir / mein Sommergsell /
    Den rechten butzen nun erzehl /
So wiß / das aine Jungfrau eben
Mir also gschoren hat zum leben.
    Und wiwol das best mein füs thaten /
760   Das ich aus der Schlacht binn gerhaten /
Sint mir dahinden pliben doch
Mein ältern / Freund und Gsellen noch.

---

739 verschmort: eingeschrumpft. – 743 alber: albern. – 754 Farrenwadel: Ochsenziemer. – 756 butz: Kern der Sache, Wahrheit. –
758 gschoren: weh getan.

Muck.

Das hab ich jzunt oft gehört /
Wie deine Eltern sint ermört /
765 Drum ist mir für dich herzlich laid
Und verfluch die unmiltigkait:
Das die Rachgir nicht würd gesättigt /
Biß sie alls inn grundboden schädigt.
  Aber es will mich schir bedunken
770 Ir seit entweder gwesen trunken /
Oder habt unfürsichtig gar
Die sach angriffen offenbar:
  So ists euch gangen inn den Streiten
Wi alln unfürsichtigen Leuten /
775 Da namlich unfürsichtigkait
Pringt allzeit ain unrichtigkait.

Floh.

Es ist nicht on / wir waren frech /
Da wir anfingen das gestech /
  Und wann ich soll die warhait sagen /
780 So pringt uns Mutwill um den kragen /
Des gleichen fürwiz und der schleck /
Wir wolten zu den Erbsen speck.
  Dann disen ganzen Sommerlang
Hatten wir ainen sichern gang /
785 Bei den Mägden im Hünerhaus /
Sie lisen zihen ein und aus
  Und haben kainen nie geschreckt /
Ich geschweig ainen je erlegt:
Die Köchin und Kindsmaidlin auch /
790 Waren nicht gegen uns vil rauch /
  Diweil sie zu faul waren baid
Aufzuheben ir Hemd und Klaid:

---

790 rauch: rauh, grausam, böse.

Ain schelmenbain stak in im rucken /
Das sie sich gar kaum mochten bucken /
795   Gaben wir ainer schon ain Zwick /
So wars zuthun nur um ain Rük /
Das sie uns zog das Flaisch aus zänen /
Darauf thät sie ain stund sich dänen /
So war es widerum verschmirzt /
800   Unter des sprangen wir wie Hirz /
Und worden bei solch saubern Gsind /
Verwänt / faißt / frech und unbesinnt:
Dan uberfluß pringt sicherhait /
Sicherhait zu Gailhait verlait.

805   Und weil Gailhait nicht lang wol thut /
So war uns auch berait ain Rut /
Und auf das die des schwerer würd /
Worden wir tif ins bad gefürt /
Und lang genug zuvor gebaizt
810   Das wir nur würden wol verraizt.
Dan soll ich sagen nicht von jamer?
Der Pluto trug mich inn ain Kammer /
Die war sehr herlich zugerüst /
Alls ausgewäscht und ausgewischt /
815   Und glanzt von Seidin / Sammat / Gold /
Als wer es von aim Maler gmolt:
Ei / das ich nicht ain bain abful /
Da ich mich da hinein verstul /
Dan ich nicht maint / bei herrlichkait /
820   Sein also grose gfärlichkait:
Pfeu aus du Kammer voller kummer /
Das dich beschein kain Sonn noch Sommer.

---

793 Die Redensart bedeutet: träge sein, sich nicht bücken wollen.
Vgl. Murners *Narrenbeschwörung* Kap. 25. – 796 Rük: ein Rücken,
die Kleider bewegen. – 799 verschmirzt: verschmerzt, verwunden. –
800 Hirz: Hirsche. – 812 Pluto: ein Hund dieses Namens. – 817 abful: abfiel (d. h. mir abfiel, brach). – 818 verstul: (ver)stahl.

Muck.

Was ist dir Floh / das so verfluchst
Das gmach / darinn dein speis doch suchst?
825   Ich maint / das bey köstlichen Leuten /
Auch köstlich speis wer zuerbeuten.

Floh.

Ja wol bey köstlichen köstlich beut /
Ja vil mehr ain gar stolzer Neid:
Niman ist kärger dan die Reichen /
830   Die iren aignen saich auch eichen:
Und ab aim jden han vertruß
Der sich nehrt bei irm uberfluß /
Sih zu / es zittern mir mein glider /
Wann ich denk an die Kammer wider /
835   Ei das mich nicht ertränket hat
Mein Mutter inn dem ersten Bad /
So het ich nicht mit meinem pracht
Ins grab sie und den Vater bracht.

Muck.

Sag an / wie ist dir gangen dan
840   Als du kamst inn die Kammer an?
Damit es mir zur warnung din /
Wann ich mich auch begeb dahin:
Dan ich auf köstlich ding gern siz /
Und mit meim Wapen es beschmiz:
845   Wiwol ich des oft hab kain dank /
Macht mich doch der vergonst nicht krank.

---

830 saich: Harn; eichen: bemessen, schätzen (als wenn es einen Wert
hätte). – 846 vergonst: Mißgunst.

Floh.

Ich will dirs sagen / laßt uns sitzen /
Du sichst / wie ich vor forcht thu schwitzen /
   So bin ich auch so heftig gsprungen
850   Daß mir zerrint schir an der Lungen.
Wiwol mir thut das sitzen we
Schad mir doch jz das stehn vil meh.
   Als ich kam inn selbigen Sal /
   Ain schöne Jungfrau uberal
855   Fand sitzen ich bei ainem Bett /
Die ir gwand abgezogen het /
   Und wolt sich legen da zur Ru /
   Ich schauet iren fleisig zu /
Und nam beim weisen leib bald ab /
860   Das sie ain zartes Flaisch auch hab /
   Es danzten mir die zän gleich drob /
   Ich dacht / hie mustu thun ain prob /
Gewis ich hie kain Hundsflaisch find /
Noch auch kain Kind voll wust und grind:
865   Pfeu aus / mit alten Weibern allen /
   Die nur den Arsschmärsuchern gfallen /
Pfeu aus ir Vihmägt / die ir stinkt /
Das ainer schir inn onmacht sinkt /
   Ir Rusläus und ir Kuchinräz /
870   Mein zän ich nicht meh an euch wez.
Hie komm ich zu aim frischen Prünnlin /
Das ist ain rechts Kindbetter Hünlin /
   Hie will ich zäpfen / hie gut schräpfen /
   Nach allem lust mich hie bekröpfen:
875   Was soll das täglich Waidwerk mir?
Ich mag auch nun kain Rindflaisch schir:
   Dis Wildprett und dis Federspil /
   Das thät es / das mus sein mein zil:

---

864 wust: Verheerung, Verwüstung, Kot, Unrat, Schmutz; grind:
Kopfausschlag. – 869 Kuchinräz: Küchenratte, Küchenmagd. – 874 bekröpfen: den Kropf füllen. – 875 täglich: alltäglich, gewöhnlich.

O was nuzt ain / wann ainer raißt /
880 Er find stäts / daß er vor nicht waißt:
Wer ich im Kü und Hundsstall pliben /
Ich het nicht dis stuck Wilds auftriben:
Es grummt mir schon darnach der Bauch /
Ich schmazt / das sie es schir hört auch.

M u c k.

885 Verzeih mir / daß ich dir red ein /
Es mant mich dises Wildprett dein /
An jenen Wolf / der nüchters Munds
Ain Furz lis / das es gab ain dunst /
Da sprach er / Das ist ain gut zaichen /
890 Dan es von fülle her thut raichen /
Dis bedeit / das ich noch werd heut
Füllen die häut mit guter beut:
Ging demnach drauf gleich auf die stras /
Da fand er bald ain Todenas
895 Von ainem schaf / darauf uns mucken
Sitzen / und tapfer inn uns schlucken:
Da sprach er / Das ist nicht die beut /
Der Furz noch etwas bessers deit:
Zog fort / da kam er zu aim Roß
900 War krank gelasen von dem Troß:
Da sprach er auch / Dis ist zu kurz /
Es bedeit etwas frisch der Furz.
Inn des sicht er von ferr zwen Wider /
Die zsammen laufen auf und nider
905 Mit hörnern auf der schönsten Waid:
Und sprach: Der Furz uns dis beschaid /
Das ist frisch plut / gibt frisch geplüt /
Ging drauf zu inen inn der güt

879 raißt: reist. – 880 daß: was. – 883 grummt: brummte, knurrte. –
887 ff. Diese Fabel findet sich in Steinhöwels *Esopus*. – 890 her
thut raichen: herkommt.

Fragt sie / was diser streit langt an /
910   Ob er in nicht entschaiden kan?
    Die Widerlin / als sie nun sahen /
    Das sie der Wolf gern wolte fahen /
  Fanden sie flugs ain list berait /
  Sagten der streit wer umb die waid /
915   Und weil er wer ain alter Man /
    Wie seine Har dan zaigen an /
  Wöllen sie in zum Richter setzen /
  Und im den / so verlirt / zuschätzen:
    Er nam ain an / wolt sie doch baid /
920   Und lis seim Opfer ain klain fräud /
  Vermaint / sie würden schmacken baß
  Wann ubung sie vor wärmet was:
    Der Wolf satzt sich fein inn die mitt:
    Die Wider saumten sich auch nitt /
925   Lifen zusammen auf den Richter /
  Das er da starb fein also nüchter /
    Auch ungebeicht all seiner sünd /
    Und on ain Testament geschwind:
  Secht / solchen außgang hett der Schais /
930   Daraus der Wolf weissagt sein Rais /
    Das im der Atam word zu kurz:
    Ließ ob dem Furz den letzten furz:
  Also sorg ich / werd dein Bauchgrummen
  Und dein glüst dir auch sein bekummen:
935   Dan wann nach Honig glust uns Flügen
    Dörfen wir wol inn dLeimrut fligen.

F l o h.

  Du hast es warlich wol errhaten /
  Dan mich der glust pracht inn gros schaden.
    Und grummt mir noch der bauch darvon /
940   Der Glust bekam den wust zu lon:

935 glust: gelüstet.

Dan als ich sucht all weg und weis
Wie ich erlang die zarte speis /
    Wolt ich am Bett hinauf fein ritschen
    Darob mir doch die füs stäts glitschten /
945 Weil ich nicht wol beschlagen war /
Und das Bett glatt gefürnißt gar:
    Welchs mir solt sein ain warnung gwesen
    Das ich dis Wildprett het vergessen.
Zu dem het sie all ir gwand
950 Hoch hangen dort an ainer wand:
    So ubel trauet dis schön Bild
    Als wers im Wald erzogen Wild:
Dazu het man auch ire Schu
Hingtragen / als sie kam zu Rhu:
955   Und strich ir Marmolstainin füslin
    Ganz nett und rain ab / bei aim Bißlin:
Da dacht ich / hie findst noch kain weg
Wie ich mit ir znacht essen mög /
    Sie haben hie all weg verloffen /
960 Binn darauf inn ain Winkel gschloffen /
Inn ainen klainen Riß und spalt /
So gnau erspächten sie den Wald:
    Dessen ich vor nicht war gewon
    Da ich inn Ställen um thät gon /
965 Behulf derhalben mich die Nacht /
Morgens gleich frü ich mich aufmacht /
    Gedacht / wie ich weg möcht errhaten
    Zu gnisen des erschmackten Praten:
Drauf fül mir ein das sprüchwort wol /
970 Das man Rhat bei den Alten hol:
    Beschlos derhalben rhats zu fragen
    Mein Eltern / was die würden sagen:

---

943 ritschen: rutschen. – 956 bei aim Bißlin: jedes Bißchen, ganz und
gar. – 959 verloffen: wohl verstellt. – 960 gschloffen: geschlüpft. –
968 erschmackt: gerochen.

Als ich nun zu meim Vater kam /
Mein Mutter mich von stundan nam /
975   An ir lipliche schwarze arm /
Sprach / Son wie ist dir also warm?
Du hast gewis ain Not bestanden /
Dan ich dich lang nicht sah vorhanden:
Ich sprach / O Mutter / trautes herz /
980   Es ist mir für war gar kain scherz /
Dan ich an orten war gerait /
Da sah ich ander Schnabelwaid:
Pfeu dich Kuchin und Hünerhaus /
Hui Strosack für all Teufel aus:
985   Ja wol der alten Trumpeln Näst /
Ich wais ain / ist glatt wie ain käst /
Sie hat so ainen zarten balg /
Das ain gelust / das er sie walg.
Das plut scheint durch die weise haut /
990   Als rot Rosen durch Lilgenkraut:
Erzelt in folgends alle sach
Was ich dort sah / darauf bald sprach
Mein vater / der fromm Greise Man /
Son / Son / schau was du fahest an /
995   Es laßt sich nicht so leichtlich scherzen
Mit Edelm Gmüt und hohen herzen /
Die Jugent facht oftmalen an
Das lang kain alter het gethan /
Drum soll der Jugent ungstümm that
1000   Fein mäsigen der Alten Rhat /
Dann der Alten külsinnigkait
Stillt der Jungen künsinnigkait:
Und der Alten lang gros erfarung
Dinet den Jungen zur verwarung:
1005 Dan mir auch noch sehr wol gedenkt /

981 gerait: bereits. – 983 Kuchin: Küche. – 985 Trumpeln: dicke, böse Weibsbilder. – 986 käst: Kastanie. – 988 walgen: wälzen, hier für walken, schlagen.

Wie inn deim alter ich mich hengt
   Ainer Gnadfrauen inn das gwand /
   Welchs sie nachschlaift durch kat und sand /
Und das ganz haus damit thet fegen /
1010 Da hoft ich sicher mich zuregen /
   Aber die Kätschmägd kamen bald /
   Durchsuchten all hecken im wald /
Schlugen und klopften inn den Hurst /
Das mir das har stund widerburst /
1015 O wie schwerlich binn ich entwischt /
   Und hab der Magd ins gpräm genist:
Bin darnach nie so keck gewesen
Mir solches Waidwerck zuerlesen:
   Allain zwaimal / da mußt ichs wagen /
1020 Als dich dein Mutter noch thet tragen /
Und het sehr wunderlich gelüst /
Das ich ir die büßt und vertüst:
   Darnach als sie inn kindbett lag /
   Mit Jungfrauplut ich iren pflag /
1025 Dan Jungfrauplut ist köstlich gut
Gleich wie den Juden Christenplut.
   Gleichwol wolt sie es gar nicht han /
   Wolt sich eh leiden wie sie kan /
Aber die Ehlich lib mich trib /
1030 Das ichs wolt wagen ir zu Lib.
   Diweil dus dan / sprach sie / wilt wagen /
   So seh für dich es kost dein kragen:
Ich hab wol etwas mehr erfaren
Als du / beim Weibervolk / vor Jaren /
1035 Darum ich dich wol warnen darf /
   Das du sechst auf sie gnau und scharf /
   Gleich wie sie scharf auf dich auch schauen /

1007 Gnadfrau: gnädige Frau. – 1011 Kätschmägd: Schleppmägde,
Kammermägde. – 1013 Hurst: Horst, Busch. – 1014 widerburst: wi-
derborstig. – 1015 schwerlich: schwer. – 1016 gpräm: Rauchwerk,
Pelzbesatz. – 1022 vertüst: vertuschte, stillte.

Trau inen gleich wie sie dir trauen.
    Dan etlich sind der Listen voll /
1040   Das sie ain Fleck von langer woll
In Busen stecken / sezst dich drein /
Gar bald sie zwar vorhanden sein /
    Und klauben hurtig dich heraus /
    Und richten dich / drab mir schon graußt.
1045 Etlich lasen die Busen offen /
Bistu als dan hinein geschloffen /
    Zusehen was im Thal da steck /
    So hant sie dich gwis / wie ain zweck.
Etlich die hosenband luck binden /
1050 Wilt du dich dan dazwischen finden /
    So zihen sie denselben zu
    Und fangen dich mit guter Rhu.
Sint das nicht wunderliche garn /
Zufangen uns arm Weiberstarn?
1055   Etlich haben stäts aine Hand
    Unter dem Fürtuch und Gewand /
So bald ein Flöhlin nur dar schmeckt
Ist es von stundan niderglegt.
    Dan sintemal sie merken all
1060   Das wir gern im untersten Thal
Uns waiden / diweil daselbs ist
Zugleich die speis und wasser frisch /
    So denken sie auf alle weg
    Das man uns da den paß verleg:
1065 Machen eh für den langen Riz
Inn Rock und Belz ain langen schliz /
    Damit sie gschwind den kreps ertappen
    Eh er mag nach der hülen schnappen.

1042 zwar: fürwahr; vorhanden: bei der Hand. – 1048 zweck: Mittelpunkt der Schießscheibe. – 1049 luck: locker, lose. – 1054 starn: Stare. Wie sich diese auf die Schafe setzen, so die Flöhe auf die Weiber. – 1056 Fürtuch: Schürze. – 1057 dar schmeckt: dorthin riechen geht. – 1068 hülen: Höhle.

Im Niderland der Weiber hauf
1070   Macht die Röck auf den seiten auf /
     Damit sie fein zu baiden seiten
     Ain streichwehr han / uns zubestreiten.
Die Krampuppen machen zum schein
Die geltsäck ins fürtuch hinein /
1075   Und doch ain loch inn jden sack
     Damit sie zu uns greifen strack /
Und thun als ob nach gelt sie fischten /
Da sie doch Flöh für gelt erwischten:
     Oder machen zwen säck zusamen /
1080   Da der ein hat des geltsacks Namen /
Und doch ist ain recht Mördergrub /
Dadurch man aus dem Nest uns hub:
Man solt die Säck mit iren Säcken
Auch inn den säcken all erstecken.
1085   Noch ward ich denen feind ob allen /
Welche erdachten die Flöhfallen:
     O Phalaris / du soltst heut leben /
     Du thetst dem / so es hat angeben /
Wie dem / der den Ochsen erfund
1090   Darinn man die Leut praten kund /
     Das nämlich er die erste prob
     Müßt thun seim neuen Fund zu lob /
Und in ain grose Leimthonn schlifen /
Und sein arm leben drinn vertrifen /
1095   Drum seh mein Mann / vor allem weich /
     Was sicht dem Gold und honig gleich /
Dan jener Magd von golt auch träumt
Und griff inn Kindstreck ungeträumt /
     Kreuch auch kainer gar inn ain Or /
1100   Du wärst sonst ain zwifacher thor.
Dan welcher gfärlichkait thut liben /

1073 Krampuppen: Marktweiber. – 1084 erstecken: ersticken. –
1087 Phalaris: Tyrann von Agrigent, ließ den Erfinder des ehernen
Ochsen Perillus zuerst darin braten. – 1094 vertrifen: verspritzen.

Der würd darinnen aufgeriben.
Solche und ander lehren meh
Gab sie mir inn angehnder Eh.
1105 Darauf macht ich mich schnell darvon /
Und unter wegen traf ich an
Ain guts Flöbürstlin / welche kamen
Von der Stat / welche hat den Namen
Von Flöhen / Pulicana gnant
1110 Glägen inn Pantagruels Land /
Thut hinder Klain Egipten ligen /
Draus die frommen Zigeiner fligen:
Die sagten wie gen Pulican
Sie hetten ain walfart getan /
1115 Da sehr ain herlich Stift dann wer /
Zu des Sant Franzen Ordens ehr /
Dan die Flöh kain Kartäuser geben /
Weil Kartäuser kains flaischs geleben.
Dan es staht inn Sant Franz Legend /
1120 Das der fromm Man hab alzeit gnent
Die Flöh und Läus sein Ordensprüder /
Und gbotten / das des Ordens jder
Sich von seins Pruders plut enthalt /
Und drum kain Floh noch Laus töd bald /
1125 Er sah auch unter dem krautessen
An Nägeln / wer sich het vergessen /
Der mußts zu Wasser und Brot büsen
Den Prudermord / mit plosen füsen.
Auch ins Hochstift kaine mögen /
1130 Dan alte Flöh und unvermögen /
Derhalben sie nicht namen an
Ovidium / den Glehrten Man /

1107 bürstlin: Bürschlein, Gesellschaft. – 1109 Pulicana: von lat. pu-
lex, Floh. – 1110 Pantagruels Land: Utopia, Nirgendheim (nach
Rabelais' *Gargantua und Pantagruel*). – 1119 ff. Nur boshafte Er-
findung Fischarts. – 1130 unvermögen: schwache, kranke. – 1132 ff.
Anspielung auf die dem Ovid zugeschriebene *Elegia de pulice*.

Welcher sich zu in wünschet vil /
Auf daß er vil mit Maidlin spil:
1135   Diweil er unter dem Flöhklaid
    Sucht weg zutreiben sein gailhait:
Dis ist wol / sprach ich / bedacht worden /
Wer gut es gschäh inn allen Orden:
    Diweil unter dem Schafsklaid
1140   Vil schein suchen irer Wolfswaid.
Auch sagten sie / wer daselbs meh
Ain ubungsschul für Junge Flöh /
    Da man sie leret selsam sprüng /
    Und stechen nach dem Jungfrauring /
1145   Zuprauchen solches inn der Not /
Und zugwinnen damit ir Prot.
    Also wir fort inn dem gspräch zugen /
    Und unterwegen vil rhatschlugen
Wie wir die Rais wol legten an
1150   Zupringen ain gut beut davan:
    Da befand rhatsam der ganz hauf
    Das man ain Haupt werf aller auf /
Und damit es abging on neid /
Solt das Los schaiden allen streit:
1155   Wiwol es waren ungwont sachen
    Ain Hauptman durch das los zumachen /
Diweil es noch wol gluck bedarf
Wann mann sie auch erwelet scharf:
    Jdoch ful gleich das Los auf mich /
1160   Und ward unschultig Hauptman ich:
Welches ich dan nicht widersagt
Damit man mich nicht schilt verzagt:
    Wiwol mich mein Gemal zur hand
    Darum nicht hatte ausgesant.
1165   Derwegen gar nichts zuversaumen
Lis ich die ganze Nacht mir traumen.

1152 ain Haupt werf aller auf: einen Hauptmann über alle mache. –
1160 unschultig: ohne Schuld. – 1161 widersagt: widersprach, ablehnte.

      Und weil ich allweg het gehort
      Wann man käm an ain fremdes ort /
      Solt erstlich mann zu kirchen gon /
1170   Da daucht es mich auch wol geton /
      Fürnamlich darum / weil ich wußt
      Das man ganz still daselbs sein mußt /
      Und inn der Stillmeß man vor andacht
      Gleichsam verzuckt ligt inn der onmacht /
1175   Da / dacht ich / würd man uns nicht achten /
      Wann spannenlang wir flecken machten.
      Drum morgens / als zum Amt mann Litt /
      Ermant mein Krigsleut ich damit /
      Und sazt zu meinem Leutenant
1180   Ainen der war Pruchfidel gnant:
      Und sas auf ainen meiner Knecht
      Den praucht ich für mein Leibhengst recht /
      Dan je ain Mensch den andern auch
      Hält für ain gaul und Esel rauch /
1185   Als der Türck lehrt die Christen büsen
      Das sie den pflug im zihen müsen:
      Und der aus Moscau zwingt sein Bauren
      Sein gschüz zuzihen für all Mauren.
      Als wir die andacht nun befunden
1190   Geschwind zustürmen wir begunten
      Den Weibern untern Belzen her:
      Ich dacht / diweil ich Hauptman wer
      Gepürt es sich / das ich mich thet
      An ain hoch ort / und achtung het
1195   Wie es mein Kirchenstürmern gang /
      Drum ich bald auf die Kanzel sprang /
      Fügt mich unter des Priors kutten /
      Welcher sich des nicht thet vermuten /
      Und macht im Krisaments gut thuch /

1177 Litt: läutete. – 1180 Pruchfidel: bedeutet etwa Folter (oder
Geige) im Unterkleid. – 1199 Krisaments gut: verflucht gut; die
ganze Redensart: übel mitspielen.

1200   Er het schir fallen lan das Buch /
         Und wer inn der Red bstanden schir
         Als er griff inn den Laz nach mir /
             Het schir die pest den Bauren gflucht:
             Inn des ich ainen ausgang sucht
1205   Oben beim kragen / das ich seh
         Wie es meinen Spisbrüdern geh /
             Doch ich kain Kämmetfeger gab
             So schreien vom Schornstain herab:
         Als ich nun also sah herunder
1210   Da sah ich aus der Kutt mein wunder /
             Ja wol andacht / Ja wol gebett /
             Kaine auf dPredig acht meh het /
         Nichts sah ich als ain rucken / zucken /
         Ain schmucken / bucken und ain trucken /
1215   Ain zwicken / stricken / und ain knicken /
             Und vil zerriben gar zu stücken:
         Ich gdacht bei mir / Gewis ich glaub
         Die straf komm uns vom Kirchenraub /
             Wie den Römern bekam das gold
1220   Welchs sie zu Tholos hant geholt.
         Gleichwol ain guter boß da gschah:
         Ain Weib sas bei der Thüren nah /
             Damit sie luft gehaben künt /
             Dan unterm gwelb den schwangern gschwint
1225   Und het ain treibainigen stul /
         Ich wais nicht / wie die andacht ful
             Das sie andächtig drob entschlif:
             Ainer aus uns bald zu ir lif /
         Und kizelt sie inn ainer seit
1230   Das sie uberlaut O we schreit /
             Und wie sie eilend wolte zucken /

1201 bestehen: stecken bleiben. – 1219 f. Der römische Konsul Caepio entführte aus Toulouse eine große Menge Tempelgold. Wer von diesem Schatze nahm, den ereilte ein böses Geschick; daher der Begriff: Aurum Tholosanum. – 1224 geschwinden: ohnmächtig werden. – 1226 ful: fiel.

So falt sie hintersich an rucken /
Das ir der Rock ful ubern kopf /
Der Prior drob das aug zustopft /
1235   Also der greuel im anlag /
Und ward drob haiser wol acht tag:
Jdoch erschrack sie nicht so sehr
Das sie nicht griffen het zur wehr /
    Erhascht den Floh / warf in gen boden /
1240   Und knitscht in mit dem stul on gnoden:
Und diser war mir was verwant /
His Schneikinsthal / von gutem stand /
    Als ich nun merket den verlust
    Macht ich mich aus dem Kuttenwust /
1245   Beruft mein Volk an ain gwis end /
Richt auf noch vir Flöh Regiment /
    Und zaigt in mein vorhaben an /
    Wir wolten nun hin auf den Plan
An Markt / da möcht uns baß gelingen /
1250   Diweil die Weiber unsrer dingen
    Von irem gschwez nicht würden achten /
    Dann eh sie ain halb stund gelachten /
Und Schären schliffen aine stund /
Da in nicht gstehet Hand noch Mund /
1255   Eh sie iren Gvattrin auslegen
    Wie vil ir hennen Aier legen
Und wie vil Mäus ir Kaz nächst fing /
Und wie es der Nachpäurin ging
    Nächten / da ir das flaisch prant an /
1260   Und wie voll gwesen sei ir Man:
Was holdseligen Kind sie hät /
Wie vil wochen sie tragen thät /
    Und wie ir Magd die Häfen prech

1240 knitscht: zerdrückt. – 1242 Schneikinsthal: schneiken = neugierig herumsuchen. – 1253 Schären schliffen: schwatzten. – 1254 gstehet: stillsteht. – 1255 auslegen: auseinandersetzen, erklären. – 1263 Häfen prech: Töpfe zerbreche.

Und ir Knecht alls verthu / verzech /
1265 Wie vil sie garn gespunnen hab /
Wie irs nur halb der Weber gab /
    Wie vil Klaider im trog sie hab /
    Was ir der Man inn dKindbet gab /
Und wie sie jtzunt inn Hundstagen
1270 Die Flöh so leiden ubel plagen /
    Eh sie / sagt ich / solchs iren gvattern
    Nach der läng plattern und erschnattern /
Diweil können wir an sie setzen
Und sie nach allem vortail pfetzen /
1275   Dann vor angstigem hetzengschwetz
    Empfinden sie nicht unser pfez.
Darauf wir bald dem Marckt zulifen /
Und tapfer auf die Weiber griffen /
    Hinwider sie auf uns auch tapten
1280 Und etlich fein gsellen erschnapten /
    Als Senfimhemd / den Hindenzu /
Den Laznaß / und den Nimmerru.
    Ich als ain Hauptman hezt sie an
    Sie solten nicht so schlecht nachlan:
1285 Da sah man ainen grosen streit /
Und der weiber sehr grosen Neid
    Welchen zu unserm gschlecht sie tragen /
    Dan wiwol man pfleget zusagen /
Es hintert stäts / und sei nicht gut
1290 Wann man zwo arbait ainsmals thut /
    Jdoch die Weiber uns zu laid
    Triben zugleich ir gschwetzigkait
Und auch ir giftig grimmig griff /
Man griff sie an hoch oder thif.
1295   Vor zorn sie durch die zän auch redten

1267 trog: Schrank, Kasten, Lade. – 1272 plattern: plaudern, schwätzen. – 1275 angstigem: bedrängtem; hetzengschwetz: Elsterngeschwätz. – 1284 schlecht: leicht. – 1286 Neid: Haß. – 1290 ainsmals: auf einmal, zugleich.

Wan sie ain zwischen fingern hetten /
Stellten auf andre zornig sich
Und mainten uns doch aigenlich:
Wie Pferd im Notstall stampften sie
1300 Wan wir in sasen unterm knie /
Sie stunden eh auf ainem fus
Das uns der ander reiben mus.
Aine erwischet ainsmal zwen
Zerknitscht sie auf dem Korb ganz hön /
1305 Und sprach dazu auß grosem grimm /
Die Toden / hör ich / beissen nimm.
Ain andre hat gekaufet fisch /
Und drüber gossen Wasser frisch /
Als oft diselb mocht ain erwischen /
1310 Warf sie in ins Wasser zun fischen /
Also im Wasser sterben thäten
Die nie kain Wasser betrübt hätten:
Und unter in dein baide Vetter
Der Hochpliz und der Wollenschreter.
1315 Aine ain Näglinstock het kauft /
Als diselb der Hundshummel rauft /
Fing sie in / steckt in inn den scherben /
Mußt da lebend begraben sterben.
Ain andre stund da inn der Metzig /
1320 War wie ain Guckgauch grindig / krätzig /
Als ir ain Floh kroch ubern Rucken
Thet sie sich an ain pfosten schmucken /
Und rib sich wie ain ander Sau /
Und da plib des Hundhummels frau.
1325 Aine sas dort / und hatte fail /
Zu deren nischt auch ain gut thail /

1299 Notstall: Gestell der Hufschmiede für ungebärdige Pferde. –
1304 hön: höhnisch, schändlich. – 1306 nimm: nicht mehr. – 1314
Hochpliz: Hochspringer; schreter: Schröter; der haut, schneidet, nagt.
– 1315 Näglinstock: Nelkenstock. – 1317 scherben: Blumentopf. –
1319 Metzig: Metzgerei. – 1320 Guckgauch: Kuckuck. – 1322 schmuk-
ken: reiben. – 1326 nischt: nistete, machte sich an sie.

Die losung war ir nicht dermasen
Hoch anglegen / das sies kont lasen
Zugreifen zwischen baide bain /
1330   Sonder griff ernstlich flugs hinein
Und jaget das Schwarze Wildprett
Das sich im forst gesammelt het /
Sie wußt kain ort sie zuerschlagen /
Zu lezt richt sie sie auf dem Schragen:
1335   Die hisen Schlizscheu / Supfloch / Schratter /
Und waren trei brüder vom vater.
Es het aine ainen gefangen /
Aber er war ir da entgangen.
Da wurf sie ir Schlapphaub nach im /
1340   Und all ir Schlüssel ungestümm.
Ain andre dort zu Mittag as.
Und als der Filzfloh ir hart mas /
Fuhr sie hinein mit Schmutzig händen /
Tapt so lang an den schmutzigen wänden /
1345   Biß sie ertappet iren queler /
Da richtet sie in auf dem Teller /
Bey wein und brot / die man solt ehren
Und nicht mit Plutverguß unehren:
Da dacht ich an den Traculam
1350   Der sein Mal untern toden nam.
Ain Magt zu ainem Pronnen kam /
Derselben eilends ich warnam /
Gedacht da hastu gute weil /
Dan weil sie schöpfet inn der eil /
1355   Kanstu ir plut die weil auch schöpfen
Und dich nach aller gnüg beкröpfen:
Der Aimer war nicht halb heruf /
Da gab ich ir ain satten puff /

1327 losung: Kauf, Handel. – 1335 Schratter: Kobold. – 1339 Schlapphaub: besondere Art von Haube, herabhängend, aus weichem Stoff
gefertigt. – 1342 ir hart mas: ihr hart zusetzte. – 1349 Traculam:
eine nicht mehr verifizierbare Anspielung Fischarts.

Nah bei der Waich / da es was süs /
1360   Den Aimer sie bald laufen lis /
Und hub sich schnell auf hinden / biß
Man iren sah die Kerb gewiß /
     Ich markt den bossen / sprang hindan /
     Da kam sie ainen andern an /
1365 War seiner Muter ainzig Kind
Und his mit Namen PfezsieLind /
     Der mußt das Junge leben sein
     Da lasen auf dem kalten stain.
Noch fällt mir ein ain schlimmer Zott /
1370 Ain Alt Weib sas dort wie der Tod
     Am Grümpelmarkt / hat wolfail war /
     Die wol so alt als sie alt war /
Alt Lumpen / windeln / Birenschniz /
Guffen und Nadeln one spiz /
1375   Alt Hufeisen / die man mit lachen
     Soll können zu Rostig gold machen /
Stumpff krumme Nägel / die die Buben
Im rägen aus den lachen gruben /
     Zerprochen gläser / Spindelspitzen
1380   Bauchzapfen / Römisch Mönz auß pfitzen /
Und ander meh selzam Gerümpel
Alles gestümpelt und verhümpelt /
     Daraus sie gros Gelt gwinnen wolt
     Zu irem gmainen Kupplersold.
1385 Diselb het nach alten gepräuchen /
Die her von Eve Belz solln raichen
     Ain lätzen Belz um / sah daraus
     Wie ain Schiltkrott aus irem Haus:
Zu diser alt verrostet Schellen

1362 iren: ihr; Kerb: Afterfurche, auch anständigeres Wort für Po-
dex. – 1371 Grümpelmarkt: Gerümpel-, Trödelmarkt. – 1373 Birenschniz: Birnenschnitze. – 1374 Guffen: Nadeln. – 1380 Bauchzapfen:
Zapfen zum Ausbauchen. – 1382 zerbrochen und verdorben. – 1387
lätz: verkehrt, das Rauhe nach außen. – 1389 Schelle: Schimpfname
für eine alte, verrufene Weibsperson.

1390 Fügten sich etlich meiner Gsellen /
        Der Belzkrebs / und der Hindenpick /
        Der Kammergail und Sommerflick /
        Die stübten inn dem Belz herum
        Als ob es wer ir Aigenthum:
1395   Den troz / wolt sie kurzum nicht leiden
        Inn iren Forstgerechtigkaiten /
        Sie zankt mit füsen / Ars und Händen /
        Und schwur der Teufel solt sie plenden
        Wa sie in nicht den troz vertreib /
1400   Und solts kosten irn Jungen Leib /
        Flugs grif sie zu mit baiden fäusten /
        Und jagt sie tapfer durch die Räuschen /
        Der Belzkrebs konnt sich nicht so schmucken /
        So war die Alt im auf dem Rucken /
1405   Biß sie zulezt den Armen tropf
        Erhascht bei aim Bain und dem kopf /
        Und weil sie unter sich het gstellt
        Ain alten Hafen für die Kält /
        Warf sie in inn die glut hinein /
1410   Der nie vergift het pferd noch schwein /
        Und da er zerknällt inn der Glut /
        Lacht sie / und sprach noch wolgemut /
        Dis ist nichts / du hast noch Gesellen /
        Die müsen mit dir auch zerschnellen /
1415   Ergriff darauff den Sommerflick /
        Den Kammergail und Hindenpick /
        Und warf sie auch hinein ins Feur /
        Welchs war zusehen Ungeheur:
        Aber die Hailig Grechtigkait
1420   Die kain unbil ungrochen Leid /
        Auch rächt ain klains unschultig Schaf /
        Die schicket iren aine straf:
        Dan sie inn der Glut kästen protet /

1393 stübten: stoben, stöberten. – 1402 Räuschen: Reusen, Netze.
1420 Leid: duldet. – 1423 Kästen protet: Kastanien bratet.

Und weil sie ain Käst nicht het gschrotet /
1425 So ward diselbig gar aufrörisch /
Und macht die ganze Glut Rumörisch /
Sprang / und warf um sich kol und äschen /
Und zindt schir an der Alten Fläschen
Ir alt Cavern / zusamt dem Loch
1430 Daraus der stinckend Atam Kroch /
Welchs / wie ich glaub / ain deitnus war /
Das sie noch solt verprennen zwar:
Auch solts aim weib ain Warnung sein
Die Glut zustelln zwischen die Bain /
1435 Dan sie mag aus dem windloch Leicht
Plasen zu stark oder zu feucht
So geht die Glut an oder stinkt /
Welchs inen bald gros Unfall pringt:
Aber sie thun es uns zu Laid
1440 Und inen zu ainr Augenwaid:
Darum ain schelm der Weibern schonet
Und inen nach verdinst nicht lonet.
O wie daurst mich / du Keckimschlaf
Und du Nachtwacker / euer straf /
1445 Das ir nicht euerm Nam nachkamen /
Und disen Haz bei Nacht fürnamen /
Weil oft der Namen pringt ain Amen /
Daraus man kent baid glück und stammen /
Jdoch der Tod ist euch kain schmach
1450 Wie den / so lan kain gdächtnus nach
Dan euer Feindin die euch töd /
Auf mittelm Marckt da legen thet
Ain stain auf euch / stäts zugedenken
Das euch der unfall lis versenken.
1455 Also mus der Feind unverhoft
Auch seine Feind verehren oft.

1424 gschrotet: eingeschnitten. — 1428 Fläschen: alte Flasche, Schimpfname. — 1431 deitnus: Vorbedeutung. — 1447 Amen: Omen. — 1448
stammen: Herkunft.

Vil störzten sie inn Flüß und pronnen /
Die darnach sint inns Mör geronnen.
   Welches mit in mitleiden hat
1460   Und warf sie wider ans gestad /
Sie zubegraben inn den Sand /
Wie ich von Pulican verstand.
   Ain Bäurin wol beklait mit zwilch
   Sas dort / het ain Hafen mit Milch /
1465   Und weil nicht gleich ain Kaufman kam /
   Ain klaines Schläflin sie einnam /
     Und als ain wenig sie entmuckt /
     Eilt Schleichinsthal / gab ir ain truck
Am ort da sie es nicht het gern /
1470   Es war nicht weit vom finstern stern:
     Sie auf / und streckt den fus von sich /
     O wie mußt ich erlachen mich:
Den Milchhafen sie gleich umstis /
Und ainen furz dazu fein lis /
1475   Und schwur bei ires Bauren ding /
     Darauf flugs inn ain Winkel ging /
Sas nider / als ob sie wolt Wässern /
Und griff allweil nach iren Hässern /
     Lezlich ergriff sie in beim Fus /
1480   Komm her / die Milch mir zalen must /
Sprach sie / und nam in zwischen dzän /
Zermalt in klain: Ich hab dirs gän.
   Sih da / was groser greulichkait
   Erfur ich da mit herzenlaid:
1485. Ich dacht hie ist nicht gut zuharren
Der Teufel ist inn dWeiber gfaren /
     Kain scham ist bei in meh zufinden /
     Greifen am Markt fornen und hinden /
Fordert deshalben bald zusamen

1467 entmuckt: einnickt. – 1470 finstern stern: finis terrae, hier natürlich in obszöner Bedeutung. – 1475 ding: Penis. – 1482 gän: gegeben.

1490   Die uberplibne / so entkamen /
     Sprach zu inen: Ir Spisgesellen
     Alhi würd nicht lang sein zustellen /
   Der Markt hat Markts art / namlich zank /
   Vil Hadern / palgen und undank:
1495   Wir wollen unters Tach uns geben /
     Vileicht han wir ain sicher leben:
   Dan je von wegen sicherhait
   Wider der Thir ungstümmigkait
     Worden erstlich gebaut die Häuser /
1500   Da das Volk milter ward und weiser:
   Wie solten Greulichkait die uben
   Die das greulich Wild von sich triben?
     Ich denk / ir Häuser sint kain Hülen:
     Darinn Löwen und Bären wülen:
1505   Es sei dan / wie ich schir mus sorgen /
   Das vileicht darinn ganz verborgen
     Ain unru die Flöbärin machen /
     Die Weiber / die uns stäts verwachen.
   Doch inn seiner Hül kain Thir wüt /
1510   Also kain mensch inn seim gebit:
     Derhalben laßt es uns drauf wagen /
     Verzagte Jäger nichts erjagen.
   Als sich das volk nun zsammen funde /
   Fand ich vil Bainschröt und verwunte:
1515   Die sant ich gen Sant Pulican
     Ins Flöstift / in zurhaten lan /
   Da mochten sie in bei den Läusen
   Aufschlagen lasen neue eisen.
     Und weil ich mein Volck fand sehr schwach /
1520   Wolt ich mit vortail thun zur sach /
   Wagt selber mich / recht zuerspehen /
   Wa man dem Feind möcht possen trähen:

1492 stellen: bleiben. – 1508 verwachen: bewachen. – 1514 Bainschröt:
Knochenhiebe. – 1516 in: sich; zurhaten: zu raten. – 1522 possen trähen: Schabernack antun.

Nam zu mir eilend fünf Trabanten
Beishart und Zwicksi sie zwen nanten /
1525 Desgleichen Zanspiz / Schauderkalt /
Bauchtrom / Harwurm / und Finsterwald:
Mit disen trabt ich zu aim haus /
Da ging mir von stund zu ain graus
Oben zu ainen Laden aus /
1530 Dan ain Weib hilt da ainen straus
Hinden und fornen nackent plos
Mit vilen Flöhen klain und gros /
Welche der Hauptman Stampfhart furet /
Und inn ir Hemd warn einfuriret /
1535 Die sprängt sie zu dem Laden ab /
Da es dan vil krumm schenkel gab /
Und wann sie ainen da ergriff
Den Benzenauer sie im pfiff /
Und knilt in mit so groser gir
1540 Küchlin hets gessen nicht darfür /
Noch lis ichs michs nicht schrecken ab /
Sonder ins haus ich mich begab
Zusehen die Flöhsprängerin /
Was sie noch weiters greulichs künn /
1545 Da sah ich auf und ab sie gehn
Ganz nackend inn der Kammer schön /
Damit sie die Flöh an möcht pringen
Das sie ir an die schänckel springen /
Und sie darnach ins Wasser straifen /
1550 Und inn aim Zuber gar ersäufen.
Da dacht ich / die hat meh verstand
Als aine / die ich ainmal fand /
Welche da sie sah bei dem Licht /
Wie allenthalb man an sie kricht /

1530 straus: Kampf. – 1534 einfuriret: einquartiert. – 1538 Auf den
Benzenauer, der zu Kufstein enthauptet wurde, sang man ein sehr
verbreitetes Lied. Hier Umschreibung für töten. – 1540 Es war ihr
lieber als Kuchen essen.

1555   Da sprach sie / O ir Lausig Flöh /
    Den possen ich nun auch versteh /
    Ich will das Licht jz läschen eh /
    Was gelts wa ir mich finden meh?
      Aber dise ir füs fail bot
1560   Auf das sie uns verkauft den Tod:
    Ja sie trib zu der gscheidigkait
    Auch so hönische greulichait /
      Das es mich Herzlich hat vertrossen:
      Dan wann man sie zu hart wolt stosen /
1565 Sprach sie / O du schwarz Teuflisch Herd /
    Du bist nicht raines Wassers werd /
      Ich mus dich inn ain Saichbad schicken /
      Darinn du must vor Hiz ersticken:
      Beutelt demnach / was an thät hencken /
1570 Inn dSaichkachel / sie zu ertrencken.
      Wann sie dan dis Bad auch vollend /
      Kam eilend sie zum Bett gerent /
    Wurf schnell die Decken hin und wider /
    Und fischt nach Krepsen auf und nider /
1575   Ersucht all zipfel und all Nätlin /
      Wie arme Leut die Seckeltädlin /
    Hing darnach Leilach / Belz und Hemd
    Fürs fenster / welchs mir war gar frembd /
      Weil alls war auf die Flöh gericht /
1580   Als ob es wer im Lerchenstrich:
    Dann auch die Kammer war besprengt
    Und Igelsschmalz darein gehenkt /
      Desgleich vil Junger Ehrlinzweig /
      Damit man das Flöhgsindlin treug:
1585 Sie nam auch des Mans Hosen her
    Zusehen ob auch Wild drin wer /
      Sucht inn dem Gsäs / sucht inn den stümfen /
      Sucht um den Laz inn allen Sümpfen.

1575 Ersucht: untersucht. – 1576 Seckeltädlin: Bettelsack. – 1577 Leilach:
Leintuch. – 1580 Lerchenstrich: Lerchenjagd. – 1588 Laz: Hosenladen.

             Da dacht ich / hie machstu kain Mist
1590   Wa man so gnau mit suchen ist.
                 Trabet deshalben an ain ort
                 Da ich vil kinder wainen hort /
             Da ful mir ein / das wer ain sach /
             Dann weil die kind sind Plöd und schwach /
1595   Und sich nicht können wol erwehren /
                 Mögen wir uns bei in wol nehren /
             Sant derwegen aus mein Trabanten /
             Das sie das Volck zusamen manten /
                 Darauf sie gleich zusamen kamen /
1600   Mit Höreskraft das haus einnamen /
             Den Nächsten ainer ainem Knaben
             Thät unter das gewäntlin traben /
                 Desgleich der ander und der dritt:
                 Das Büblin mochts erleiden nit /
1605   Sonder krümmt sich gleich wie ain Wurm /
             Und schrai / als ob man läutet sturm /
             Ruft die Grosmuter herzlich an /
             Dieselbig als bald krachen kam:
             Sprach / Libes Kind / wa ist dir we?
1610   Es sprach: Mich beissen sehr die Flöh:
                 Bald hub sie im das ärslin uf /
                 Es mit dem Kopf durch dBain ir schluf /
             Da sucht im ab die Alte schell
             Die Flöh allsammen wunderschnell /
1615   Da plib im lauf der Jungfraugramm /
                 Der Kalmaus / Markstich / Hauindschramm /
             Und was sich sonst dahinden saumt /
             Das ward mit dem Troß aufgeraumt:
                 Dan sie der Füchs mehr het geschunden /
1620   Und ir tag vil hart biß empfunden:
             Ain Kind lag dort inn seinem schlof /
             Zu dem flugs inn die Wigen schlof

1589 Mist machen: verweilen. — 1598 manten: riefen. — 1601 Den
Nächsten: zunächst, sofort. — 1616 Kalmaus: Kalmäuser, Schmarotzer.

Der Bettraup mit samt seinen Gsellen /
Und stupften es / das es thät gällen /
1625 Als ob es an aim spiß thät stäcken:
Wolt auch nicht schweigen meh vor schrecken
Die Kindsmaid sang im oder pfiff /
Biß die Magd inn aim zorn ergriff /
Die Wagband / und sie schnell wand auf
1630 Und warf die Windlein all zu hauf /
Zusehen ob es unrain Lig /
Oder was im sonst fälen müg /
Da sah sie etlich Schwarze Reuter /
Und ruft als bald / Nun seh ich laider /
1635 Was dem armen Kind hat gemangelt /
Seh / wie es die Dib hant geangelt:
Sint das nicht Mortprenner zuschätzen
Die so unschultig Plut verletzen?
Ei das euch schwarze Erzschantschelmen
1640 Der Hencker müs ainmal noch helmen.
Jagt demnach die Schwarz Rott herum /
Biß sie den Bettraup trat gar krumm /
Uber den ainen ging die Wag
Das er vor ir gestreckt da lag /
1645 Ihr zwen sie mit dem fus zertrat /
Und bewis kurzum kaim genad:
Ir etlich andre kind angriffen /
Diselben flugs zur Muter lifen
Und konnten ubel sich geheben /
1650 Da kamen all Belzwürm ums leben.
Fürnämlich ainer daurt mich sehr /
Der war der frömst im gantzen hör /
Dem thäten sie all füs auszucken
Und darnach inn das Salzfaß trucken:
1655 Und hies Leistapp / der auch verlur

1629 Wagband: Wiegenbänder. – 1636 geangelt: gestochen. – 1640
helmen: köpfen, Helm für Kopf. – 1649 ubel sich geheben: sich nicht
retten.

       Zwen Brüder / Schlagein / Pfinnenspur.
Etliche hing man an die füs
Gleich wie die Juden / zu verdris:
       Die hisen Plutdurst / Sporsi / Tornzwang /
1660   Ropfflugs / Schrepfir / Bortif / Zornzang.
Etlichen zog man seiden faden
Durch die Nas und hings für den Laden /
       Etlich wie Häring um den Ofen /
       Vil im Ofenkessel ersoffen /
1665   Daraus warm wasser sie dan Namen /
Und schöne suppen draus bekamen:
       Etlich sie zu Sant Lorenz machten /
       Und inn den glüend Kacheln bachten /
Welche sie als dan thäten rüren
1670   Für Fönchel inn die Gpraten Biren.
       Vilen schnitten das Maul sie ab /
       Die doch / welchs gros verwundern gab /
Davon sprungen / davon zukummen /
Und bettelten darnach wie stummen
1675   Und zwar / gar nah es mir da stund /
       Wann ich nicht gwesen wer so rund /
Und von dem kind entsprungen wer
Dem Maidlin inn den Busem lär /
       Dem lis aus Rachgir ich ain Lez
1680   Und gab im inn die seit ain Pfez /
Das es aufhupft / und rufet Och /
Und lis das kind falln wie ain ploch.
       Die Muter lauft zu zornig gäh /
       Wolt das kind nicht aufheben eh /
1685   Bis sie das Maidlin bei dem Kragen
Genommen het / und gnug geschlagen.

1656 Pfinnenspur, etwa: der als Spur Pfinnen (rote Male) zurück-
läßt. – 1658 Die Juden wurden bei den Füßen erhängt. – 1659 Sporsi:
Sporn-sie-an. – 1667 Der hl. Laurentius wurde bekanntlich auf einem
Rost gebraten. – 1676 rund: behende, gewandt. – 1679 Lez: Anden-
ken. – 1682 ploch: Block. – 1683 gäh: jäh, schnell.

Insumma da war solche Not /
Das nichts da war / als der gwis Tod /
Darum wir uns alsbald verglichen
1690 Und inn ain ander Gemach schlichen /
Darin zusamen kommen waren
Vil Gevatteren / von vil Jaren /
Da ubten wir uns weil sie spinnten /
Und schwazten von den Alten kinden /
1695 Sie aber als die Rechte Spinnen
Spinnten ain Nez / uns zugewinnen.
Dan zwo Alt vetteln sich da hilten /
Die kain Speichel im Mund meh fülten /
Und hätten drum an Rocken ghenkt
1700 Häflin und Horn / voll wasser gschenkt /
Diselben / was sie da erzwackten
Flugs inn ir Wassergschirlin stackten /
Und leckten sie heraus doch wider /
Kamen also inn Magen nider:
1705 Damit auch Hackinsbäcklin ging /
Den die Alt an der Tochter fing /
Auch Plutkropf / Zanhak / Hechelhor /
Der Buckelsprung / und Jungfrauspor.
Ain andre het Prüst wie Hörtrummen /
1710 Drauf man wer / wie auf Plasen gschwummen /
Und thaten so steif dazu ragen /
Das sie zwo Maskann mochten tragen /
Darhinter schanzt sich Stechzumkranz /
Mit viren / so wagten die schanz.
1715 Aber die worden sehr getränkt /
Dan sie di Prüst herfürher zwängt /
Und truckt den Arm zu / da sie huckten /
Und fing ir trei / die sie sehr truckten.

1689 verglichen: etwa verabredeten. – 1707 Hechelhor, wahrscheinlich
wie Zanhak ein imperativisches Kompositum: Hechle das Haar. –
1709 Hörtrummen: Heertrommeln, Pauken. – 1717 hucken: hocken,
kauern, sitzen.

Sie lisen etlich lang umschwaifen /
1720   Biß sie die gar wol mochten greifen /
Alsdann nezten die finger sie /
Und fingen das ainfaltig vieh:
    Welchs sie dan auff dem Teller knillten:
    Doch die so etwas verstands hilten
1725   Das Tischtuch hintersich vor zogen /
Und knitschtens mit dem Elenpogen.
    Manche griff hinauf biß an Nabel:
    Manche het am hals ain gezabel:
Die Greta wolt auch nicht meh spinnen
1730   Wanns am Rucken der Flöh ward innen /
    Sie mörd wol iren etlich Schlägel /
    Das sie bekam gar Rote Nägel /
Und war ir Richtstatt der nächst stul /
Doch unverdamt vor dem Richtstul.
1735   Die ander sie mit Wurten knitschten /
    Und stachen sie mit Spindelspitzen /
    Da plib / welchs immer ist ain schand /
Der frembd Ritter / Pulsfüler gnant /
    Dazu nur durch ains Maidlins finger:
1740   Dan der Tod würd geacht geringer /
Den ainem anthun grose Leut /
Als dan würd man zur Grosen Beut:
    Aber es wer im auch nicht glungen /
    Wer er nicht dem Harigel gsprungen
1745   Ins schmuzig Lausig Strobelhar /
Darinn er gleich verwirret gar.
    Gleich wie auch gschah dem Nägelspreiß
    Als er inns Flachswerk sprang ganz leis.
    Aine warf ir Nähwerk beiseit

1728 gezabel: Gezappel, Umhergreifen. – 1731 Schlägel: größeres, bauchiges Gefäß. Sie mordete eine ganze Anzahl von ihnen. – 1735 Wurten: Spindelringe aus Holz oder Metall, Teile des Spinnrads, auf denen die Saite läuft und die die Spule festhalten. – 1738 frembd: fremd, im Sinne von fahrend. – 1744 Harigel: Schweinigel (mhd. hor: Schmutz). Hier Bezeichnung für einen Hund. – 1745 Strobelhar: wirres Haar.

1750   Und griff hinab / wais nicht wie weit /
      Und holt inn ainer finstern Hurst /
      Des Leutenants Pruchfidels Burst /
      Diselb zerschnit sie mit der Schär /
      Damit sie nur gnug zornig wär.

1755   Aine het for dem Maul die Kant /
      Krazt doch im Gsäs mit ainer Hand:
      Meine Trabanten sant ich aus
      Weiter zusehen um im Haus /
      Da kamen sie gleich inn die Kuchen /

1760   Und thäten die Köchin besuchen /
      Die erhascht bald den Springinsröckel
      Und töd in auf dem Hafenteckel /
      Den Zopfsikek hing sie inn Rauch /
      Steckt inn Hafen den Mausambauch.

1765   Der Düttengeiger kaum entran /
      Das er mir zaigt den Jamer an /
      Auch vilen sie die Köpf abprenten
      Und vil an baiden augen plendten /
      Aber fürnämlich ich erplickt

1770   Etlich fürnäm greuliche stück /
      Namlich inn ain Buzschär sie steckten
      Zwen Brüder / die sie drinn ersteckten /
      In dem giftigsten rauch und Gstank /
      Davon man Malzig würd und krank:

1775   Den Edlen Hauptman Rauschimbart /
      Der sie lang het geplaget hart /
      Mit haisem unschlicht sie beträuften /
      Ainen im Weinglas sie ersäuften:
      Ja auf das sie nur greulich schaden /

1780   Ain totzend Flöh inn Wein sie thaten
      Und sofen die ainander zu /

1751 Hurst: Gebüsch. – 1752 Burst: Gesellschaft. – 1755 Kant: Kamm.
– 1765 Düttengeiger: Zusammensetzung aus dütten (Brüste) und geiger. – 1771 Buzschär: Lichtschere. – 1774 Malzig: aussätzig. – 1777
unschlicht: Unschlitt, Talg.

Zum Bund / zulasen uns kain ruh /
War das nicht ain greulicher Bund
Der inn ains andern Plut bestund?
1785 Auch den Hauptman Habhindenacht
Haben sie wie ain Sau geschlacht /
Ja hant im wie Sant Asmus auch
Die därm gehaspelt aus dem Bauch
An aine Nadel / und das Herz
1790 Beim licht gepraten für ain scherz:
Ain Alte die an krucken ging /
Etlich ans kreuz der krucken hing /
Und mit dem spizigen beschläg
Stach sie nach inen alleweg /
1795 Zu zeiten ir Rachgir zustillen
Töd etlich sie auf irer prillen.
Die Hund auch nach uns schnapten häßlich /
Und bissen inn ir Haut selbs gräßlich.
Innsumm / sie ain solch Mörden hetten /
1800 Das ich mich kaum samt dritt mocht retten.
Ir sechs / die gar plump einhin plumpten /
Inn ain Milchhafen sie eindunkten.
Aine stelt sich so gar greulich fremd /
Das sie ain stuck riß von dem Hemd /
1805 Und es mit samt dem Floch verprent /
Auch drob verprent schir ire Händ.
Etlich vergruben sie inn Schne /
Die ich darnach sah nimmermeh /
Wiewol man sagt / was im Schne steckt /
1810 Der Sommer widerum aufdeckt:
Und mußt ich / und der Leutenant /
Auch der Huiauf / und ain Trabant
Aim Hündlein / welchs luf aus und ein /
Tif schlifen inn die Woll hinein /
1815 Auf das es uns mit gutem fug

1787 Sant Asmus: der hl. Erasmus, der unter Diokletian der Legende
nach die oben bezeichnete Marter erlitt. – 1803 fremd: ungeschickt.

Aus diser Mördergruben trug:
Gleich wie auch der Ulisses that
Als in versperrt der Säuklops hat
    Inn seim Stall mit den Raisgefärten /
1820   Vorhabens sie all zuermörden /
Da schmuckten sie den Schafen sich
An ir Bäuch unten listiglich /
    Und kamen also aus dem Last /
    Weil der Knopf die Schaf oben tast:
1825   Also thaten wir auch hirinnen
Bei den Säuklopisch Flöfresserinnen.
    Nun / als ich kommen war hinaus /
    Da kam mich erst an der recht graus /
Als ich von anfang erst bedacht
1830   Was für schön volk wer umgepracht /
    Dasselb bekümmert mich vil mehr
    Als das ich war verwundet sehr /
Wiwol ich da bekam den straich
Mit ainer krucken inn die waich /
1835   Davon ich noch heut hincken mus /
    Und pracht davon ain lamen fus.
Sidher hab ich das Weibergschlecht
Verfluchet wie das Schlangengschlecht.
    Und halt die Häuser / da sind Weiber /
1840   Für Raubhäuser voll Strasenräuber.
Was mainstu nun mein liber Son
Wie dein Muter hab ab mir gton /
    Als ich kam also zugericht
    Und hat dazu nichts ausgericht?
1845   Fürwar ich mußt besorgen mich /
Das sie nicht also kränket sich /
    Das sie vor angst / die sie einnam /
    Inns Krankbett aus der Kindbett kam.
Derhalben Son / ist dir zurhaten /

1818 Säuklops: scherzhaft für Kyklop. — 1823 Last: Angst. — 1824
Knopf: Dummkopf, Einfaltspinsel. — 1837 Sidher: seitdem.

1850 So stos dich an deins Vatters schaden /
      Ich war auch / wie du Jung gesinnt /
      Aber het man mir dis verkünt /
      Wie ich dir jzunt zaiget an /
      Kain Roß mich gzogen het hinan.

1855   Wir haben nicht geringe Feind /
      Uber all list die Weiber seind /
      Nicht anders träumen sie und dichten /
      Als wie sie von der Welt uns richten:
          Gewis, wann sie inn gdanken sitzen /
1860   Auf uns sie ir gedanken spitzen.
      Wann sie am Nagel sich vergaften /
      Wünschen sie / das wir all dran haften.
          Sie lernens her von Jugent bald /
          Und werden darinn auch veralt /
1865 Das sie mainen / kain Todschlag sein /
      Wann sie schon Leben lisen kain.
          Die kind hans von der Muter erschmackt
          Wann sie den Bellz klopft fein im takt /
      Und keren flugs ir Belzlin um
1870 Und schlagen auch fein auf der Trumm.
          Und je meh statlicher sie seind
          Je minder Leiden sie uns feind /
      Mainen es sol in nicht geschehen /
      Diweil sie hergehn auf den zehen /
1875   Und können das Loch selsam trehen /
          Das Maul krümmen / als äsens schlehen.
      Darum las dich deins Glücks benügen /
      Dan höher fligen thut betrigen.
          Du bist nicht hoher Leut genos /
1880   Zu grosem ghört auch etwas Gros.
      Pleib du bei Kundel unser Magd /
      Da kanstu waiden unverjagt:
          Dan sie ist also mächtig faul /
          Ich glaub wann auf sie trät ain Gaul /

1861 vergaften: ansahen.

1885   Sie wendet sich nicht um ain hor /
    Wie der / dems Wasser trof inns Or.
      So ist sie auch fein schmuzig fett /
      Das allzeit ir anklebt das bett /
    Dan kan sie schon nicht drinnen sein /
1890   So ginet sie doch stäts darein.
      Bei deren kanst ain bissen finden
      Du wolst dafornen oder hinden /
    Nächstmals sie bei dem Herd entschlif /
    Die supp all inn die äschen lif /
1895   Das mit dem Gsäs sie darinn sas /
      Und schlug die Flamm ir gar zur Nas:
    So pran ir auch die Jupp am Loch /
    Noch wolt sie nicht erwachen doch /
      Biß dKaz den Praten nam vom spiß.
1900   Wie mainst / das ich sie damals biß?
    Am Leib macht ich ir so vil Flecken /
    Als säs sie inn den Nesselhecken.
      Die ir darnach die Frau im Haus
      Mit Ofengabeln fein rib aus.
1905   Drum wilt du liber sicher leben
    Als inn stäten unruen schweben /
      So pleib bei deim bescherten As /
      Und dich nichts fremds verleckern las:
    Bei schlechtem ist man sicher baß /
1910   Weil niman aim vergonnet das:
      Mutwillig macht die schleckhafft speis /
      Das man mit Eseln geht aufs eis.

Muck.

Fürwar / mein Bruder Räsimgsäs /
Der kalte Rhat war gar nicht bös

1886 Vgl. das Märchen von den drei Faulen (Grimm, *Kinder- und Hausmärchen* 151). – 1890 ginet: gähnt. – 1893 Nächstmals: Darauf einmal. – 1897 Jupp: Unterrock. – 1910 vergonnet: mißgönnt. – 1912 Zu ergänzen wäre: und ein Bein bricht. – 1913 räs: scharf.

1915 Den dir dein Alter Kachelprut
Gab / folgen wer gewesen gut.
    Dann hast nicht ghört von der Stattmaus /
    Wie sie spazirt ins Feld hinaus /
Da sie zu gast die Fäldmaus Lud /
1920 Zunemmen mit dem Feld für gut:
    Rüst darauf zu / trug fürher dar
    Was im äusersten Winckel war /
Was sie den Winter het gespart /
Das schir lär die Speiskammer ward /
1925   Damit sie nur der Zarten zucht
    Ain gnügen thät mit schönster frucht.
Aber was man vorsetzet immer
Dem Stattjungher vom Frauenzimmer /
    Darab rimpft er nur stirn und Nas /
1930 Sagt / wie nur Baurenwerk wer das /
Er aber hett drinn inn der statt
Ain andern Lust / desgleich nicht hatt
    Der Feldmäuskönig mit seim Hauf /
    Bei im sei schleckhaft speis vollauf.
1935 Sein speis sei gsotten und gepraten /
Hab flaisch und brot / und käs zum Fladen.
    Solchs zuerfaren / wie sie meld /
    Führt sie die Feldmaus aus dem Feld /
Und kommen in der Stattmaus Haus /
1940 Da wollten leben sie im saus /
    Die Stattmaus bei der schwär auftrug.
    Und fragt allweil: Hast noch nicht gnug?
Inn des / weil sie sich da vergessen /
Und ainander tapfer zuessen /
1945   So hören si den schlüssel trähen
    Im schloß / und jmans zu in nähen /

1915 Kachelprut, Name des Vaters. Kachel = Geschirr. – 1917 ff. Sehr
bekannte Fabel. Wiedergegeben bei Hans Sachs, Waldis, Sebastian
Frank und Georg Rollenhagen. – 1941 setzte vor, soviel man nur
tragen konnte. – 1946 jmans: jemand.

Die Stattmaus auf / und fliecht davon /
Die Feldmaus wolt auch nicht beston /
    Und konnt doch schwerlich aus der gfar /
1950   Weil sach und ort ir ungwont war.
Als nun der Hausknecht war hinwegk
Ging dStattmaus wider zu irm schleck /
    Und ruft der Feldmaus auch zu Tisch /
    Sie wolten Zechen nun aufs frisch:
1955   Aber sie wolt lang trauen nitt /
Doch wagt sies entlich auf die bitt.
    Als nun die Stattmaus sie his zechen /
    Und wolt trincken / sich zuerfrechen /
Fragt sie die Stattmaus / ob sie oft
1960   Solch gfar bestehn müßt unverhoft.
    Sie antwort / Es wer ir gmain brot /
    Man müs nicht achten ain gmain Not:
Wie? sagt die Feldmaus / ist dirs gmain?
So achtest du dein leben klain.
1965   Wer sich mutwillig steckt inn Not
    Der ist selbs schuldig an seim Tod.
Mir nit des schlekens / welchs pringt schrecken /
Schrecken würd kainen faister strecken /
    Dein speis mit Zucker ist besprengt /
1970   Aber mit gfar auch sehr vermengt /
Was der Honig daran versüßt /
Dasselb die gfar wider verwüst:
    Mir aber will die speis nicht gfallen /
    Wa schon verhonigt ist die Gallen.
1975 Ich will liber mit sicherhait
Mein sparsamkait und dörftigkait
    Als deinen uberflus und schlecken
    Mit solcher angst / sorg / flucht und schrecken.

1948 beston: stehen bleiben. – 1949 schwerlich: schwer. – 1958 erfrechen: ermutigen. – 1967 Mir nit des schlekens: Mir liegt nichts am Schlecken. – 1968 faister strecken: dicker machen.

Sih / liber Gsell / dis soltest du
1980 Auch han betracht / so hetst nun ruh /
Soltst sein bei deiner Kundel pliben /
Dich nicht an köstlich Leut han griben.

F l o h.

Ja Gsell / du hast jz gut zurhaten
Nach dem vergangen ist der schaden /
1985 Was thut aber die Jugend nitt?
Es glust sie / was man ir verbit /
Sie denckt nicht weiter als sie sicht /
Und was sie sicht / darnach sie richt:
Gleichwol war ich auch nicht so dumm /
1990 Ich folgt ain weil dem Vater frumm /
Behulf mit faulen Weibern mich /
Aber es wolt nicht reimen sich
Träg Plut inn ainen frischen Leib /
Und zu gsundem ain fauler Keib /
1995 Ich bekam nur davon die scheis /
Dan Wirckung ist gleich wie die speis.
Zu dem so solt du dis auch wissen
Der Kundel bain warn stäts beschissen
Man het mit ainer Hällenpart
2000 Darein gehauen kaine schart /
So war so schmutzig auch ir Leib
Das ich wie im Leim hangen pleib.
Und wann ich schon abwächslen wolt /
Tauscht ich kaum messin für schlecht gold /
2005 Nämlich ain achtzigjärig Weib /
Der so einschmorrt die Haut am Leib /
Das wann sie den Leib zsammen zoh
Sie gleich damit zerknitscht ain Floh /

1994 Keib: Leichnam, Aas; Schelm. – 1999 Hällenpart: Hellebarde,
Stich- und Hiebwaffe.

      Mit ainer Achßt het kainer nitt
2010   Ir geben können ainen schnitt.
War dazu Rostig Rotzig auch /
Hustet als stäck sie stäts im Rauch /
      Speit um sich / und warf schnuder aus /
      Das kainer sicher war im Haus /
2015 Wurf auch meim Vettern Schwenkundrenk
Mit Roz ain bain entzwai am glenk.
      Derhalben konnt ich mir nicht masen /
      Ich mußt ainmal stellen nach Hasen:
Derwegen Laurt ich allezeit
2020 Auf die Jungfrau / vor angedeit /
      Und als ich hat erfaren wol /
      Das sie gladen zu gast gehn soll /
Da kam ich zu meim Vater gsprungen /
Sprach / Vater / nun ist uns gelungen /
2025   Ich hab gespäht das Wildprett aus /
      Nun gang geschwind / nun dir nit graus /
Beseh die Edel Creatur
Desgleichen nicht schuf die Natur.
      Du sagst mir wol von groser gfar /
2030   Welche sei bei köstlicher war /
Aber wie kan ain solch milt bild
Sein also ungeschlacht und wild /
      Das sie ir zarte raine Händ
      Im Plut verunrainet und schänd /
2035 Sie hat ain zartes Küchlinmündlin:
Ich glaub / sie erzörn nicht ain kindlin:
      Ich wais sie würd all unser pfetzen
      Für eitel Kützelstichlin schätzen.
Dan sie würd wol gewonet sein
2040 Irs bulen pfetz inn dseit hinein.

2013 schnuder: Nasenschleim. – 2017 masen: mäßigen. – 2020 vor:
oben V. 854 ff. – 2035 zartes Küchlinmündlin: süßes Kuchenmünd-
chen, etwa: Zuckermund.

Wie? solt man dan auch finden kaine /
Die es mit uns barmherzig gmaine?
Und wa dan ist zufinden aine
So ist es gwis die / so ich maine.

M u c k.

2045   Was sagt hirauf dein Vater dan /
Wolt er es so geschehen lan?

F l o c h.

Nain / er war schwerlich zubekeren
Wolt von Weibs miltigkait nicht hören /
Sagt / das unter dem milten schein
2050   Oft steckt ein hauend wildes schwein.
Und legt dabei ain gschicht mir aus
Von ainer alt und Jungen Maus /
Die Jung / als sie wurd etwas gros
Das enge Nästlin sie vertros /
2055   Und wer liber spazmausen gangen /
Die Muter sorgt es würd gefangen /
Und hilt ir sönlin stäts zu haus /
Noch wolt das Sönlin stäts hinaus:
Und lag der Muter so lang an /
2060   Biß sie sprach / Sönlin / Nun / wolan /
Weil es dan kan nicht anders sein /
So folg doch jz den lehren mein.
Wann du herfür komst inn das haus
So lauf nicht flugs den Plan hinaus /
2065   Nicht sez dich mitten auf den plaz
Auf das dich nicht erhasch die Kaz /
Nicht lauf ferrn von dem Vaterland

2052 ff. Fabel, die schon bei Boner und Philelphus, bei Camerarius,
Rollenhagen und Waldis vorkommt. – 2055 spazmausen: spazieren. –
2064 Plan: Platz.

Und halt dich hart nah an der Wand /
   Damit dem Murnar mögst entwischen
2070   Wann er vileicht wolt nach dir fischen /
Das Mäuslin lif / guckt gleich hinaus /
Da sas ain Weis Kaz dort im Haus /
   Und muzt sich mit den pfoten glanz /
   Wie ein Jungfräulin zu aim danz.
2075   Das Mäuslin konnt sie nicht gnug bsehen /
Die Kaz aber thät auf sie spehen:
   Inn des flog der Haushan herfür
   Mit grosem schall auf die Hausthür /
Drab das Mäuslin erschrack also /
2080   Das es lif hintersich alldo /
   Und fül der Muter inn den schos /
   Sie sprach / Son wie bist so kraftlos?
Was ist dir also bald geschehen?
Es sprach / Ich hab ain thir gesehen
2085   Das ist gar grausam Ungeheur
   Es hat zipfel so rot als feur
Auf seinem kopf und unten dran /
Und schrai Laut Guckenguckenhan /
   Das thir erschreckt mich / das mir noch
2090   Das herz klopft / wie holtzwürm im ploch.
Da sprach die Muter / Sag mir her
Hastu auch was gesehen mehr?
   Ja sprach es / Ich sah auch dort sitzen
   Ain saubers Weiblin / thet sich mutzen /
2095   Und hat ain weises Belzlin an /
Ich het wol mögen zu ihm gahn.
   Ach / sprach die Muter / Liber Son /
   Da hetst du wie ain Kind geton /
Nit scheu das Thir welchs also schreit /
2100   Dasselb trägt gegen uns kain Neid /

2069 Murnar: Bezeichnung für Katze, mit Anspielung auf Murner, dem Wimpheling diesen an Narr und Mur (Schlamm) anspielenden Namen zuerst gegeben hat. — 2073 muzt: putzte; glanz: schmuck, glatt.

Das Weiblin inn dem Belzlin weis /
Das also Laurt / und trit so leis /
Dasselb der Rechte Murnar ist /
For dem hüt dich / er ist voll list /
2105   Also sagt er / das ich mich hüte
For scheinender angmaßter / güte:
For stillen Wassern / die grund fressen /
Und for den schöngefärbten essen.
Man hüt sich leicht / for den die pochen /
2110   Aber nicht den / die lang Neid kochen.
Wann sich der Bös am frömsten stellt
Ist er der ärgst Bub in der Welt:
Darum rhat er / ich solt nicht trauen
Den Jungfrauen / die so süs schauen /
2115   Im Kram hats vil gemalte Laden /
Die doch mit gift oft sint beladen.

M u c k.

Fürwar das waren gute leren /
Hetst du dich daran wollen kehren /
Aber ich denk / das dir auch war
2120   Wie allen Jungen Leuten zwar /
Welche fürwitzig sind und frech /
Und wagens ob es schon auch prech.

F l o h.

Ja / Laider / ich war nur zu frech /
Und gab nichts auf dis gut gespräch /
2125   Sonder thet unaufhörlich betten
Den Alten / mit mir anzutretten /

2108 essen: Speisen. – 2109 pochen: trotzig, herausfordernd auftre-
ten. – 2115 hats: gibt es; Laden: Schubladen. – 2125 betten: bitten. –
2126 anzutretten: scheinbar intransitiv, mit hinzugedachtem: den
Weg, die Fahrt.

Das that er zulezt / mir zum besten /
Mich mit seim Rhat allzeit zutrösten:
    Als wir an dasselb ort nun kamen /
2130   Da wir die schön Jungfrau vernamen /
Da sprach er / Son / du bist kain Geck
Dein augen sind dir nicht mit speck
    Eingsetzt / du kännst wol zarte Leib
    Dis ist ain ausbund von aim Weib /
2135 So alt binn ich nicht diser stunden
Mich fräuet / solt ich sie verwunden.
    Aber die gfar ist vil zu gros
    Das wäger ist / man unterlos.
Ach / mein Vater / sprach ich zur stund /
2140 Mein herz ist gegen ir gar wund /
    Wann ich sie jzunt nur anplick
    So geb ich iren gern ain zwick /
Dann sie ist linder dan ain schmalz /
Ich wag um sie kopf / bart und Hals /
2145   Wiltu mir nicht behülflich sein /
    Wil ich mich wagen selbs hinein.
Als er mich reden hört der masen /
Wolt er mich auch allain nicht lasen /
    Sonder es wagen sampt der Muter /
2150   Wie es auch ging ob disem Luder /
Damit sie mir behülflich seien /
Dann es sie immer würd gereuen
    Sprachen sie / wann man mich verlöre /
    Diweil das ainzig kind ich were /
2155 Und aus zwaimal sibenmal siben
Allain noch were uberpliben.
    Hirauf gab der Vater den Rhat
    Das man noch meh freund hizu Lad /
Den Fechtimbusch / und Ruckhinan /
2160 Den Knillenscheu / und Wezdenzan /

2138 Das wäger ist: daß es besser ist. – 2150 Luder: Lockspeise.

Und andre / die uns vetter hisen /
Dann freund was guts allain nicht gnisen.
Auch sagt er ferner / diweil dan
Die Jungfrau soll zur hochzeit gahn /
2165   So hab man acht / wann sie komt wider
Aus der Kirch / und zu tisch sizt nider /
Und schmolt und prangt / gantz unverwent /
Und kaum bewegt augen und Händ /
Da fall man an inn vollem lauf /
2170   Aber wann man staht wider auf
Da mag ain jder sich wol packen /
Dan als dan wurds gehn an ain zwacken.
Wir folgten disem guten Rhat /
Jder tapfer den sturm antrat /
2175   Fürnämlich aber war ich schnell
Iren zugerben das zart fell /
Es mocht kain plaz am Leib nicht sein /
Da ich nicht schlug mein haken ein /
Da pracht ich ein mein langes warten
2180   Und haut ir warlich tapfer scharten.
Noch war so gros die zucht und scham /
Das sie sich um kain Har annam /
Als ob ir etwas Laids geschech /
Wann es gab etwan ain gespräch /
2185   Oder das man ir leget für /
Grif sie darnach mit schöner zir /
Und rucket dann ain wenig mit /
Doch das mans konnte spüren nitt /
Damit sie mir die speis abprech /
2190   Ich aber fuhr fort im gestech /
Wan sie sich hat zur Rhu begeben /
Und hat fürwar ain köstlichs leben.
Ich ward dabei so gsund und frisch
Als in kaim Wasser ist kain fisch.

2167 schmolt: lächelt.

2195   Da man aber vom Tisch aufstund
    Mein vater mich zuwarnen begunt.
      (Ach warum folgt ich nicht der frist /
      So gahts / wann man unghorsam ist.)
    Er sprach / Ich solt ain gnügen halten /
2200   Alls glück ain weil / sprechen die Alten /
      Wann man hie mitten ist inn fräuden /
      So thut sie gmainlich aim erlaiden:
    Ich aber wolt nicht von dem Ort /
    Und gab dem Vater höne wort:
2205   Sprach / Es wissens nicht alls die Alten /
      Jung Leut die Junge Welt erhalten /
    Nun geh die Jungfrau erst zum danz
    Da mög gerhaten auch ain schanz.
      Die Eltern folgeten mir Jungen
2210   Und pliben stecken halb gezwungen /
    Dann die Lib ist ain solcher Notzwang
    Die aim oft thut biß zum Tod trang:
      Nun laider hör / was da geschach /
      Als man stund prangen im gemach
2215   Gab ich ir manchen guten stich
    Das sie darab recht rimpfet sich /
      Und zu lezt also ward erzürnt
      Als ob sie gänzlich wer erkürnt.
    Stis flugs die finger inn die Nas /
2220   Welchs dan der rechte bossen was /
      Und macht ir selbs zuschwaisen die /
      Sprach eilend / Ach was gschicht mir hie /
    Erlaubet mir / ich mus hingon
    Ain wenig biß mirs Plut thut ston /
2225   Alsdan will ich bald widerkeren /
      Man lis sie gehn mit grosen ehren.
    Sobald sie nur kam für die Thür /

2208 schanz: Einsatz, Spiel. – 2212 trang: Bedrängnis. – 2216 rimpfet:
krümmt, zieht sich zusammen. – 2218 erkürnt: vollkommen gemacht,
hier: bis in den Kern getroffen. – 2221 schwaisen: bluten.

Luf sie mit wunder schneller gir
    Ir kammer zu / als ob es prant /
2230   Ich sas noch oben im gewand /
Maint nicht das sie uns bürsten solt /
Sonder das sie nur prönzlen wolt /
    Darum mein Eltern ains klains schlifen /
    Aus müde / von dem gehn und schlifen.

2235   Sobald sie aber kam zum Bett /
Lößt sie sich auf schnell auf der stätt /
    Und macht ir weite um zutasten /
    Und laurt ganz fleisig wa wir rasten /
Griff darauf inn aim augenplick /
2240   (O du betrogen böses Glück)
    Mein Vatern mir gleich an der seit /
    Ach Jamer / ach der bösen zeit /
Ich kan nicht wissen wie mir war /
Ich war verirrt vor ängsten gar /
2245   Innsonderhait da ich mußt sehen /
    Meim Vater seinen hals umtrehen.
Hei warum bin ich nicht auch pliben
Auf der Walstatt bei meinen liben.
    Noch hett ich gern gerufen sehr
2250   Der Muter das sie sorgsam wer /
Aber eh ich den Mund aufthat /
Die los Flöhmauserin sie hat /
    Rib sie / und warf sie an die Wand /
    Zertrat sie mit dem fus zur hand.
2255   O libe Eltern / die aus lib
Zu mir / umkamen / um mein kib /
    Ach solt so schlechtlich ir umkommen
    Die so aus mancher schlacht sind kommen.
Ach / wie kan ich genug mich klagen /
2260   Ich mus nun wie ain Wais verzagen.
    Ei das die los Flöhstürmerinn

2232 prönzlen: urinieren. — 2234 schlifen: schlüpfen, kriechen, schlei-
chen. — 2256 kib: Streit, Eifer, Trotz.

Ir lebtag kainen Bulen gwinn.
Aber was nutzet mich das klagen /
Ich mus von meinem fall dir sagen.
2265   Nach dem mein Eltern also ging /
War ich verstörzt gar ob dem ding /
Und wußt schir um mich selber nitt /
Stund stock still / und ging nitt ain tritt /
   Inn dem so greift die Flöhunru
2270   Nach mir mit baiden Händen zu /
Walgert und plozt mich heßlich ding /
Das auch der Wust wüst von mir ging /
   Und richt mich also schantlich zu
   Gleich wie mich hie magst sehen du /
2275   Doch weil sie allzu girig war
Auf meiner Vettern andre schar
   Wolt sie die Händ flugs wechsseln ab /
   Inn des bekam ich Luft darab
Und walgert allgemach zu thal
2280   Das zwischen die Bain ich ir fall.
   Da binn ich krochen auf all viren
   Biß ich mich mocht daraus verliren.
Wie aber mein freunden sei gangen /
Hab ich erst zeitung heut empfangen /
2285   Das als sie an die Wand hinsprungen /
   Sie etlich hab zu tod getrungen /
Und fürnämlich ain greulich stück
Begangen an dem Hupfundschlück /
   Gleich wie du vor auch sagtest mir
2290   Das klaine kinder auch thun dir /
Nämlich in an ain Nadel gsteckt
Und darnach zu aim Licht gelegt.
   Ist das nicht ain schantliche that
   Vom Menschen / der vernunft doch hat?
2295   Ja von aim Weib / welchs milt solt sein /

2266 verstörzt: verstört, bestürzt. – 2271 walgert: wälzt; plotzt: stößt; heßlich ding: unliebsames Ding.

Und scheuen ab Plut und der pein.
  Aber ich halt dich auf zu lang /
  Mein Bruder / und thu dir erst trang /
Dieweil ir Mucken nicht lang pleiben
2300   An aim ort / wie wirs auch fast treiben:
  Jdoch / weil du es hast begert
  Hab ich es dir auch nun erklärt:
Sintemal ainem sein Not klagen /
Haißt halber sich der Not entschlagen.
2305   Noch wiwol ich meh het zuklagen
    Uber der Weiber plagen / jagen /
Und fürnämlich mein Eltern frumm /
Und doch / wann ich dran denk / werd stumm:
  So will ich es itzunt einstellen
2310   Und es dem Jupiter befelen.

M u c k.

Zwar Bruder / ich hab wol Vernommen
Inn was für Leiden du bist kommen /
  Und ist mir herzlich für dich Laid
  Wie auch für deine Eltern baid /
2315   Aber das ich dich nicht beklag /
Wie Alte Weiber hant ain sag /
  Wann ainer pricht ain Bain entzwai
  Sei Glück das er nicht gar Tod sei:
So sag ich / das dein unfall zwar
2320   Wol ist zuklagen / und dein gfar.
  Dan wie mögen die Menschen doch
  Sein so vergönstig / neidig noch.
Das sie auch solle dis vertrisen
Wann man irs uberfluß will gnisen?
2325   Wie stünd es um das Menschlich leben
  Wanns Mör von im kain wasser gebe?

2296 ab: vor. – 2300 fast: sehr, häufig. – 2311 zwar: fürwahr. –
2322 vergönstig: mißgünstig. – 2326 im: sich.

Was nimts / wann Menschen euch lan schöpfen
Das Plut / welchs sie heraus sonst schrepfen?
   Jdoch weil dis nicht trösten haißt /
2330   Wann man den unfall erst hoch spreißt /
So must du denken / das dus auch
Vileicht hast ubermacht zu rauch /
   Und billich die straf hast bekommen
   Damit du nicht möchst gar umkommen /
2335 Dan ain verprent kind scheucht das feur /
Komt also Feur im auch zu steur.
   Dan also ist uns auch gegangen
   Da wir Mucken hant angefangen /
Den Leuten auf die Nas zusitzen
2340 Da haben sie die Nas zuschützen
   Die Muckenwädel geführt ein:
   Ich wolt es müst on wadel sein
Ain jder Muckenwädelmacher
Dan es sind rechte Hagelbacher.
2345   Also glaub ich / das ir auch wolten
   Das die Flöhfallmacher sein solten.
Aber bös wünschen macht kain schrund /
Aber bös thun / das macht ain wund.
   Drum sind dein Eltern schon gestorben /
2350 Ist ir geschlecht doch nicht vertorben /
Sintemal es inn dir aufgoht /
Und baust was inn inen abgoht:
   Wer aber hinder im verlot
   Ain Rächer / der ist nicht gar Tod.
2355 Haben die Römer schon geschlagen
Hannibals Vater inn sein tagen /
   Ist doch der Hannibal fürkrochen
   Der hat den Vater wider grochen.

2330 spreißt: auseinandernimmt. – 2332 ubermacht: übertrieben;
rauch: heftig, grausam. – 2336 zu steur kommen: zu Hilfe, zugute
kommen. – 2342 wadel: Penis. – 2344 Hagelbacher: Hagelbäcker,
vgl. oben V. 365. – 2353 verlot: hinterläßt.

Allweil ain Floh noch krichen kan /
2360 Und ain Weibsbild zart flaisch würd han /
      So lang würd pleiben auch ain streit
      Zwischen baid thailen nur aus Neid.
      So bist auch nicht derselb allain
      Der von den Menschen leidet pein /
2365   Es sind doch schir kain Creaturen
      Die iren mutwill nicht erfuren /
      Beseh man nur des Hasen klag
      Und was die Nuß beim Naso sag:
        Drum seufzen sie auch stäts auf Erden /
2370   Das sie möchten erledigt werden.
      Es würd sich ainmal ändern müsen
      Oder man würd nicht gehn auf füsen /
        Es würd ainmal sich alls verkeren
        Wann das wüst kochen würd aufhören /
2375   Und all Leut unter sich ains werden /
      Ain mönz und glaub würd sein auf Erden.
        Alsdan werden die Frauenbilder
        Auch werden gegen Flöhen milter.
      Ich glaub / der frid wer auch gmacht eh
2380   Wann Weiber trügen kain Belz meh /
        Dan ir Flöh mainen / euch gebür
        Das inn den Belzen stecken ir /
      Dieweil der erst Floch / wie man melt /
      Ward drin geboren auf die Welt.
2385   Hinwider die Belzpuppen mainen
        Sie dörfen inn dem Belz gar kainen /
      Der iren Belz mit in hab gmain:
      Kommen also nie uberain.
        Daraus dan würd ain Belzenstreit /

2359 Allweil: Solange. – 2362 Neid: Feindschaft. – 2367 *Hasenklage*,
ein Gedicht von Hans Sachs. – 2368 Anspielung auf die Ovid zugeschriebene Elegie *De nuce*, in der die Schicksale der Nuß erzählt
werden. – 2370 erledigt: befreit. – 2374 das wüst kochen: die schlimme
Streiterei. – 2376 mönz: Kleingeld, hier: einheitliche Geldsorte. –
2386 dörfen: brauchen.

2390   Der so vil Flöhplut kostet heut.
        Wolan / dem sei nun / wie man wöll /
        Kain urtail ich darüber fell /
          Sonder befehls dem Jupiter
          Wie dann auch selbs ist dein beger:
2395   Der würd wol deine Unschuld rechen
        Und der Flöhkazen unbill prechen.

          F l o h.

        Ja Jupiter / du rech und prech /
        Und Strafe die Flöhpeinigerin frech /
        Störz um das fegfeur aller Flöh /
2400   Leid kaine Belzklopferin meh /
        Töd die Flöhstörck und die Flöhzatzen
        Die uns on unterlas stäts fatzen /
        Da wir doch wie Häuschrecken nicht
        Verterben auf dem Land die frücht /
2405   Noch inn die Weingart fallen ein
        Wie Staren / so schaden dem wein:
        On das wir unsern durst was leschen
        Es sei auß täschen oder fleschen:
        Mit disem mus ich sein ernehrt
2410   Weil ich kain ander handwerk lehrt:
        Noch vertrüßt die Flöhstiberin
        Wann ich nur an aim härlin spinn.
        Wie seit ir Weiber auch so zart
        Das unser kützeln euch dunkt hart?
2415   Wir sind doch bschlagen Esel nitt /
        Und hant wie Schaf kain harten tritt /
        Ir solten schämen euch / zusagen
        Das ain solch klain Thir euch soll plagen /
        Ja euch dazu inn harnisch pringen

2401 störck: Störche; zatzen: Hündinnen. – 2402 fatzen: necken, be-
unruhigen. – 2407 was: etwas, ein wenig. – 2411 stiberin: Stieberin,
Läuferin, Jägerin.

2420 Als ob ir wolten Teufel zwingen.
          Wie komts / das ir den Nuz verdecken
          Wann wir die schlafend Mägd aufwecken /
      Besser als inn dem Haus kain Han?
      Aber der Neid kan nichts verstan.
2425   O Jupiter / gros ist dein sinn /
          Das dise Flöhverfolgerin
      Nicht zu krigsleuten hast gemacht /
      Sie zihen sonst mit aller Macht /
          Inns feld wider die armen Flöh /
2430   Und thäten in mit schüssen we.
      Man könnt in nicht gnug büchssen machen
      Noch pfeil und flitschen zu den sachen.
          Und da solchs inen fälen thut
          Sint sie so gar von tollem Mut /
2435 Das sie oft Got anrufen dörfen /
      Um ain Flöhlin / welchs sie thut schärfen:
          Wie der / da im ain Floh entran
          Ruft den starken Herculem an /
      Das / weil er all Scheusall und wunder
2440 Mit seinem kolben schlüg herunter /
          Er im auch soll hie beistand thun
          Inn ains Floh uberwindung nun.
      So gar hat sie der Neid beschissen
      Das sie zubetten nicht recht wissen:
2445   Sie werden bald um hilf auch bitten
          Die Risen / so den Himel bstritten.
      Aber du grechter Jupiter
      Der das gering achtst wie das schwer /
          Du wirst urtailn nach Grechtigkait /
2450   Und strafen nach deinr Mächtigkait.
      Das thu ich nun / samt allen Flöhen
      In aller andacht dich sehr flehen.

2421 verdecken: verhüllt, nicht zur Kenntnis nehmt. (2. Person Plural. Vgl. unten 2517 f. und immer wieder.) – 2432 flitschen: Pfeile. – 2437 ff. Vgl. Waldis, *Esop* 2, 14. – 2444 betten: beten.

M u c k.

Also mein Bruder thust im recht
Das du es Jovi befilhst schlecht /
2455 Der würd dein bit gwis nicht verschmehen /
Weil er kaim unrecht laßt geschehen:
Dem will ich auch befelen mich
Was mir geschicht unbilliglich.
Aber wir habens lang gemacht /
2460 Es fällt jzunder ein die Nacht.
Derhalben wilt du bei mir pleiben
Will ich dir hie ain herberg bschreiben.

F l o h.

Ja / Wann mir wüßst ain sicher gmach /
Du aber wonst gern unterm tach /
2465 Darunter mir alls ubel gschah /
Darum ich nicht gern zuhin nah.
Het ich die nacht nur herberg hie
So wolt ich morgen auff sein früh /
Und raisen auff Sant Pulican /
2470 Mein wunden da zurhaten lan.

M u c k.

Ich will dir ain gut herberg sagen /
Da du dich sicher magst betragen /
Drinnen im haus ain hündlin ist /
Das schlaft jzunt zu diser frist /
2475 Dem siz zwischen das halsband hnein /
Da würstu gwis gar sicher sein:
Dann es biß morgen nicht erwacht /
Da hat man deinen gar kain acht.

2454 schlecht: geradezu. – 2466 zuhin nah: mich dahin nähere. –
2470 rhaten: heilen. – 2472 betragen: dein Auskommen hast.

Floch.

Ich danck dir für den guten Rhat /
2480   Dem will ich folgen mit der that.
      Hiemit wünsch ich dir ain gut zeit /
      Daß dir nicht schad der spinnen Neid.

Muck.

Hinwider wünsch ich gsundhait dir
Das dich das Weibergschlecht nicht rür /
2485   Und das all die Flöhpalgerin
      Bekommen ainen andern sinn /
Und nicht nachschlagen meiner spinnen /
Das man nicht sag vileicht von inen /
      Sie seien giftig wie die spinnen /
2490   Welchs zwar prächt ain gros nachtail inen.
Himit / mein Bruder / ain gut nacht
Das dich der hund heut wol verwacht.

2492 verwacht: bewacht.

*Notwendige Verantwortung der Weiber
auf die unbändige klag des Flöhbürstlins | samt desselbi-
gen ausfürlichem und rechtgebürlichem vertrag und ur-
tail | gestellet aus volgegebner macht des Jupiters | durch
den Flöhkanzler und Obersten Flöharzt | und zu trost der
Frauenweis | und zu troz dem Flöhgeschmais.*

     Boz Laus / ir Flöh / fliecht all von hinnen /
     An Weibern werd ir nichts gewinnen /
2495   Ihr secht am Haz hie / den sie treiben
       Das sie noch eure Erzfeind pleiben /
     Derhalben könnt ir Hupfen / springen /
     So möcht ir euch von dannen schwingen.
       Das will ich euch ir schwarze Knaben
2500   Mit grosem ernst gerhaten haben.
     Maint ir / die Weiber lan sich reuten
     Von euch / die es vom Man kaum leiden?
     Wiwol ich erst hab dise tag
     Vernomen euer grose Klag
2505   Die ir zu Jupiter dan thaten
     Vom Weibervolk so euch sehr schaden.
       Aber ir falsche Flöh komt her
       Ich wil euch sein der Jupiter /
     Und das recht von seintwegen sprechen /
2510   Aber uber euch den Stab nun prechen.
       Dan ich binn der Flöhkantzler worden /
       Der euch soll pringen inn ain Orden /
     Der weiber Arzt / Notarius /
     Ir Fürsprech / Secretarius /
2515   Mit Tonnerwurz und Rinderschmalz

vor 2493 Flöhbürstlin: Flohgesellschaft. Flöhkanzler: nach Murners
„Geuchkanzler" gebildet. – 2501 reuten: reiten.

Hab ich mich schon gespickt / gesalzt /
Das ir mir doch nicht schaden mögen /
Wann ir euch all wider mich legen:
        Wan ir schon schöne fechtsprüng thut /
2520   Pringt euch das springen doch kain plut.
Hupft her / ir werd mich nimmer temmen
Wan ihr die Läus zu hilf auch nemmen
        Dan mein hembd ist bestrichen leis /
        Mit Saffran auff die Schotisch weis.
2525 Und wiwol ich befüget wer
Aus voller macht vom Jupiter
        Das ich euch gleich spräch den Sentenz /
        Doch das ich dis Gricht recht ergenz /
Und sehen möcht wie unbetrogen
2530 Wir euer sachen hant erwogen:
        Mit samt der Weiber beschwärden /
        Die wir von inen täglich hörten /
So will ich uberweisen euch
Eh ich euch schreck mit urtail gleich.
2535   Wolher / so will ich disputiren
        Euch inn die Schul ain wenig füren.
Was ist dan euer grose klag?
Ist das nicht euer aigne sag?
        Das euch dahin der Mutwill pring /
2540   Das man euch also töd und tring?
Inn dem ir nicht bnügt an gringem
Wolt allzeit nach vil höherm ringen?
        Tracht aus dem staub gleich auff den hund /
        Vom hund gleich auff das Weib zur stund:
2545 Wolt von der Vihmagd auff die frau?
Die euch dann suchet gleich genau /

2521 temmen: dämmen, einschränken, bezwingen. – 2525 befüget: be-
fugt. – 2531 In der Erstausgabe von 1573 lautet dieser Vers (929):
‚Darneben auch der Weiber beschwärden‘, also eine Senkung zuviel.
Fischart wollte dies bessern, und nun hat der Vers eine Senkung
zuwenig. – 2533 uberweisen: überzeugen.

Weil sie mehr weil hat / dan die Magd
Daß sie euch auß den klaidern jagt?
Verführt euch also stolz und schleck /
2550 Das man euch also plöck und stöck:
Wann ir bei euern Hunden pliben
Würden ir nicht so umgetriben:
Doch die Schoshündlin man nicht maint /
Dan sie den Weibern sind gefreund /
2555 Also das sie die flöhen müsen /
Dann wann sie euch flöh daran lisen /
Würden sie euch bald von in erben /
Inen zu aigenem verterben /
Diweil ir so gar erblich seit
2560 Gleich wie die pestilenzisch zeit /
Und stoßt euch willig dar für erben /
Da man doch nach euch nicht thut werben.
Ir wolt nur allzeit hoch ans Pret
Gleich von der Erden auf das Bett /
2565 Und ist euch gleich wie jener Spinnen /
Die auch zu hof wolt gros beginnen /
Spannt im Pallast ir Nezlin aus /
Da kam ain Ketschjungfrau heraus /
Die zerstört irn das kunstlich Gspunst
2570 Mit ainem Bäsem gar on kunst:
Also wolt ir bei weibern stecken
Inn Belzen / hemdern und in Röcken /
Darauß sie euch doch manlich schrecken
Gleichwie die hasen aus den hecken.
2575 Dan sie seind euch zu hoch und werd /
Das ir sie nur zurürn begert:

2550 plöck und stöck: in den Block spanne und in den Stock stecke,
foltere. – 2555 flöhen: auf Flöhe absuchen. – 2561 stoßt euch dar:
drängt euch vor. – 2562 werben: verlangen. – 2565 ff. Vgl. die Fabel
vom Zipperlein und der Spinne bei Hans Sachs. – 2568 Ketschjungfrau: Kammerzofe, Magd. – 2570 Bäsem: Besen. – 2576 Als daß ihr
sie auch nur anrühren sollt.

Es ist kain gleichnus zwischen euch /
Ir sind gar schwarz / und sie sind plaich.
Ir secht wie höllisch teüffelskluppen /
2580   Und sie sehen wie himlisch puppen /
Noch steckt ir bei in frü und spat /
So sie doch euer hant kein gnad.
Sie hant euch lang krig angesagt /
Auch euer vorfarn all geplagt /
2585   Noch werd ir nicht auß schaden weis /
Sonder pleibt in zu troz mit fleis /
So thun sie euch nicht unrecht zwar /
Daß sie euch so verfolgen gar /
Und machen iz stuz wider troz /
2590   Das euch der Bauch vor stoltz nicht stroz:
Ir wolt sie sollen euch beschirmen /
Aber ir wolt die Schirmer stürmen /
Was? wolt ir haben die zu freund
Die ir stäts stecht und pfezt wie feind?
2595   Das wild / welches die herren hägen /
Sezt sich seim herren nicht entgegen:
Ir aber wolt / man soll euch hägen /
Und setzt den hägern euch entgegen.
Sie haben euer kaine ehr
2600   Drum wollen sie euch nimmermehr /
Sie müssen sich je euer schämen
Wa sie zu rechten leuten kämen
Das sie lifen wie hünd vol flöh /
Man aus und ein euch steigen seh.
2605   Jener Kaiser viel golds aim gab /
Der im ain Laus het gnommen ab /
Dan daraus / sagt er / kenn er frei /
Das er ain Mensch wie andre sei:

2577 gleichnus: Vergleich. – 2579 kluppen: Bündel, Gesellschaft. –
2589 stuz: Aufbäumen wie die Widder beim Stoß. – 2605 Diese Geschichte erzählt Johannes Gast († 1552) von König Ludwig XI. von
Frankreich.

Aber da auch ain andrer wolt
2610 Mit flöhen gwinnen so vil gold /
   Und im ain floh abgnommen het /
   Da stellt er in gar hart zu red /
Ob er in für ain hund anseh
Das er lauf wie ain hund voll flöh.
2615   So dis ain Mannsperson nicht leid /
   Der doch nicht acht der zirlichait:
Wie vil minder ist es zu leiden
Den Weibern / so rain sind wie Kreiden.
   Darum so müsen sie sich wehren
2620   Das ir sie nicht inn hund verkeren.
Ja / sagt ir schwarz staubbürtig Risen
Ein Weibsbild soll nicht plut vergisen /
   Dan es ist wider ire art
   Die gmainlich ist barmherzig zart.
2625 Ei ja man solt euch dazu lonen /
Und euer weißen haut dran schonen?
   Man solt die hand inn busem stecken
   Wann ir durch Mordstich aine schrecken?
Was? soll man nicht ain Mörder richten /
2630 Und jden Frevler mit recht züchten /
   Und den / der auch ain wenig schad /
   Aber doch gern meh schadens that /
Auch strafen für sein wenig schaden /
Damit schaden nicht wachs aus gnaden?
2635   Wüßt ir nicht was Esopus schreibt
   Von ainer die ain floh zerreibt
Und er bat / das sie in erlös /
Diweil er nicht könn thun vil böß:
   Da sie sprach / Drum must sterben du /
2640   Das sich nicht zimt / das man bös thu
Ainem on ursach vil noch wenig /
Dann böse sind allzeit argwönig.

2630 züchten: züchtigen. – 2635 Gemeint ist Burkhard Waldis' *Esop*.
– 2642 argwönig: verdächtig.

Und wer wolt euch was guts zutrauen /
So aim ab euerm gsicht solt grauen?
2645   Das gsicht zaiget nichts redlichs an /
Sonder Mörder / wir ir seit dan.
Derhalben wird euch nichts beschönen
Das euch die Weiber je versönen /
Allweil ir sie verletzen wolt
2650   Und doch sagen / ir seit in hold.
Wie glaubt ich aim / der mich wolt hailen
Und mich verwund zu allen thailen?
Was soll man dem Wolf lan das Schaf
Und solt empfangen drum kain straf?
2655   Was wer auf Erden für ein leben?
Wa würd die Grechtigkait da schweben?
Wann jdes frevel und arg list
Gedult würd / und nicht bald vertüst:
Wann mutwill / raub und freche macht
2660   Würd für ain Billichait geacht?
Da würd dis lid billich gesungen
Die Billichait hats Schaf verschlungen.
Aber du schnöde Creatur
Du würst nicht bessern die Natur /
2665   Welche uns hat von kind auf glehrt
Das man sich wider Unbill wehrt.
Was thäten wir sonst mit den händen
Wann wir zu Leibschuz sie nicht wenden?
Was thät die hurnaus mit dem angel /
2670   Wan er ir Schirmshalb wer ain mangel?
Es ist kain würmlein nicht so klain /
Es krümmt sich / wirft man drauff ain stain /
Der hund erleid nicht euer stich
Er schnappet nach euch beissiglich /
2675   Und Weiber / die zart flaisches sein

2648 euch versönen: sich mit euch versöhnen. – 2657 jdes: jeder-
manns. – 2658 vertüst: unterdrückt. – 2669 hurnaus: Hornisse. –
2670 Wenn er sie nicht schützte.

Solten erleiden euer pein /
Und durch so schlimm verächtlich Thir
Gehönt und gstupft sein für und für?
O Nain / nur auff die hauben griffen
2680   Biß ir euch aus dem Land verschlifen:
Weiber sind drum kain Mörderin
Wan sie schon richten Mörder hin.
Sonst müßt auch der Bapst Julius
(Dans klain gros gleichnus grösen mus)
2685   Ain hur sein / weil er huren pfend /
Was wer das für ain Argument?
Der würd nicht Plutdürstig gesprochen
Der Unschultig plut hat gerochen /
Dan man soll das böß untertrucken /
2690   Damit das gut mög fürher rucken /
Das böß man von der erden thu
Auff das inn Rhu / das gut nem zu:
Solt man die häuser darum haisen
Wolfshölen / weil sie euch draus schaissen /
2695   So hisen die stätt Mördersgruben
Weil sie austreiben Mördersbuben.
Aber ir müßt es umher kehren /
Wann sie litten euch Kammerbären /
Euch Weiberwölf / so his das haus
2700   Ein Raubhaus / weil ir drinnen maußt:
Und wann die stätt böß Buben dulden /
Können sie solchen Nam verschulden.
Darum ist nichts alls euer schänden /
Die schand mus sich auff euch doch enden.
2705   Was? solten wir / aller gschöpff zir /
Nicht meh macht haben weder ir?
Und ir Plutzäpfer nemt die macht
Das ir biß auf das Plut uns schlacht?
Wir aber solten solchs nicht dörfen /

2683 ff. Julius II. Vgl. Fischarts *Bienenkorb* 1586. – 2684 grösen:
vergrößern. – 2706 weder: als.

2710   Da uns Got alls thät unterwerfen?
        O du schandthir / solst dich vergleichen
        Zun weibern / das sie dir solln weichen?
        Inn dem / das unverschamt sagst her /
        Es wer gut / das kain weib nicht wer
2715   Von wegen euer Flöhgeschlecht /
        Die sie strafen mit allem Recht.
        Und waist nicht / das wann sie nicht weren /
        Würdst dich nicht halb so wol ernehren:
        Dann wa woltst finden so zart plut?
2720   Welchs dir für Malvasir wol thut?
        Nun / laßt sein / das sie gar nicht weren.
        Gleich wie dich alsdann köntst ernehren /
        Also nehr dich nun / da sie seind.
        Weil den mangel dir pringt dein feind.
2725   Diweil gleich laut / etwas nicht wissen /
        Und das man wais / nicht können gnisen.
        Auch wan die weiber schon nicht weren /
        Kämen andre / die euch baß schären /
        Dan wan die Frösch das ploch verlachen /
2730   Kommet ein storck / der kans in machen.
        Was meßt ir euch zu den Gewalt
        Der euch gar nicht ist zugestalt?
        Dan ir solt bhelfen euch im staub /
        Gleichwie die Raupen inn dem Laub /
2735   Diweil ir aus dem staub entspringen.
        Aber wann ir wolt weiter ringen
        Wie Raupen / die nicht allain pfezen
        Am Laub / sonder auch frucht verlezen /
        So thut man wie den Raupen euch /
2740   Und töd euch allen Räubern gleich:
        Häuschrecken sind unnütze Gäst /

2729 Anspielung auf eine bei Waldis und Rollenhagen wiedergegebene
Fabel, in der geschildert wird, wie die Frösche zuerst einen Klotz
(ploch) und, da ihnen dieser nicht gefällt, danach den Storch zum
König machen.

Noch pleiben sie inn irem Nest
   Bey irem Tau / daraus sie kommen /
   Und haben in nie fürgenomen
2745 Das sie uns uberlästig wären
Am leib / und unser Plut begären.
   Geht zun weisen Aumaisen hin /
   Die auch / wie ir / sind klain und dünn /
Secht / wie sie tragen / ketschen / lupffen /
2750 Und nicht / wie ir / stäts hupffen / stupfen.
   Und wann schon die Häuschrecken auch
   Was schädlich sind nach irem prauch /
So wärt es doch nur durch den Summer:
Ir aber thut auch an vil kummer
2755 Den weibern inn dem Winter kalt /
   Und hängt euch bey in an mit gwalt /
Versteckt euch bei in allenthalben.
Doch nicht der mainung / wie die Schwalben /
   Die still inns Mur im Winter ligen /
2760 Das sie aufn Sommer wider fligen.
Oder gleich wie das Murmeltier
So schlaft den Winter für und für /
   Sonder das ir sie plagen / nagen /
   Und sie oft inn den harnisch jagen.
2765 Solt man nicht dem Unruig gschöpf
Zerknitschen alle Därm und Köpf /
   Euch an den hals ain Mülstain hänken /
   Und in dem tifsten Rhein erträncken?
Ja man solt euch vir Töd anthon /
2770 Weil ir schaden bei Sonn und Mon /
   Und nicht allain bei tag angreifen /
   Sonder wie Dib bei nacht umschwaifen.
Bei nacht schädigen sehr die Ratzen /
Bey tag der frücht vil mehr die Spatzen /
2775 Aber ir kains praucht tag und nacht

2744 in: ihnen, sich. – 2749 ketschen: schleppen; lupfen: heben.

Gleichwie ir solches ubermacht.
Habt ir schon nie kain frucht zerbissen /
Beißt ir doch die / so der frucht gnisen.
Habt ir schon nie kain Roß gestolen
2780   Habt ihr doch plut geraubt verholen.
Stechen auch schon die Binen hie /
Thun sis wann man erzörnet sie:
Ir aber ungeraizt auch stecht /
Und haut wie inn den Baum der Specht:
2785   Wann ir schon nicht wie wandläus stinckt /
Doch schwarzen Teufelskat ir pringt /
Kan man schon euer saich nicht finden /
Glaub ich doch gänzlich es sei dinten /
Dann ir seit wol so teuflisch schwarz /
2790   Das ich glaub ir scheißt bech für harz.
Wann ir wie Scorpion nicht giften /
Doch ir mancherlai krankhait stiften /
Mit dem / das ir so plözlich schrecken
Die leut / mit euern plutigen flecken.
2795   Ich wais wol / was ir für werd kehren /
Das nämlich ir euch so müßt nehren /
Und das das Plut sei euer speis.
Aber solchs hat sein mas und weis.
Dann Jupiter hat euch zugeben
2800   Daß ir vom Thirplut sollen leben /
Von Mäusen / Razen / hunden / Katzen /
Die euch fein können wider krazen /
Oder vom Todenas und flaisch
Davon d'Thir leben allermaist /
2805   Und nicht vom Menschen / der bei leben /
Ist kainem Thir zur speis nicht geben.
Dan so der Jupiter nicht wolt
Das ir die Pferd angreifen solt /
Diweil sie uns sind dinstlich nuz /

2776 ubermacht: übertreibt.

2810 Wie vil mehr hat er uns inn schuz /
  Und will nicht / daß ir uns vil stechen
  Weil wir uns toppel können rechen /
Und euch geschmais so gröblich strälen /
Das euer mit der weil vil fälen.
2815   Und gewis / wann nicht euer gschlecht
  Gar uberschwänglich Samen prächt /
So wer schon euer stam zerknitscht /
Also hant Weiber euch geprizscht.
  Aber wan sie hie neun erlegen /
2820   So wachsen zehen dort dagegen /
Wie Herculis tod Wasserschlangen
Aus denen andre gleich entsprangen:
  Welchs anzaigt euer narrheit zwar /
  Das ir euch gebt inn ofne gfar /
2825 Und wolt euch nehren unter feinden /
Da man sich heut kaum nehrt bei freunden.
  Jdoch ists / wie ir selber sagt /
  Das ir euch schlekshalb also wagt /
Und wolt kurzum nur Wildtpret schleken /
2830 Das süs frisch Plut mus besser schmecken /
  Gleich wie dem Esel: dem am Rand
  Das wasser nit meh schmackt zu land /
Sonder trat in ain Schiff darauf /
Damit aus mittelm Rhein er sauf:
2835   Aber was gschah? Los ging das Sail /
  Ersauft den Schiffman Eselgail.
Also gahts auch euch Bettgailn gsellen /
Wann Menschenplut ir schlucken wöllen /
  Das euch das schlecken / würd zum schrecken /
2840   Und die Rot fleken / zum Tod streken.
Dan wan die Kaz will häfen leken
So büßt man ir den lust mit steken.
  Waher es aber komt / möchst fragen /

2813 strälen: zausen, hart mitnehmen. – 2818 geprizscht: geschlagen.

Das Flöh sich zu den Weibern schlagen /
2845 Das will ich ainem kürzlich sagen.
Es hat sich also zugetragen:
Da Eva nun vil Kinder hett
Und aber darzu gar kain bett /
Wund sis inn ir Belzwerk bewärt /
2850 Und legt sie warm zum feür bein härd.
Da nun die Kinder auff die Erd
Ir pläßlein offt hant außgelärt /
Und darauff schin die Sonn sehr haiß /
Da ward daraus das Flöhgeschmaiß /
2855 Welchs bald unruig ward und sprang /
Weil Eva iren Kindern sang /
Mainten / das man zu dantz in sing /
Weil kain Häuschrek ungsungen spring.
Schloffen demnach zur wärme gleich
2860 Inn Belz / diweil sie waren feücht /
Da wuchsen sie mit grossem hauffen
Weil niman sie that uberlauffen.
Dann weil sie niman nit beschwärten
Und sich im wust von Beltzen nehrten /
2865 So ward in niman darum gramm.
Biß das zu lezt ain Hundsfloh kam /
Den Eve hund hett fürgezogen
Mit stossung seiner Elenpogen /
Der war gewont der greulichait
2870 Und biß dem Kind rot fleken prait /
Dan im schmakt das jung Kindsplut sehr /
Hakt drein / als ob es Hundsfell wer /
Und lert die andern Flöh deßgleichen /
Die willig im nach theten streichen /
2875 Weil sie in größhalb / inn irm Reich
Für ainen König schätzten gleich /
Verhofften auch so groß zuwerden /

2847 ff. Von Fischart selbst erfundene Geschichte. – 2852 pläßlein:
Blase, Bläschen.

Stachen die Kind / die sich nit wehrten /
Welchs dan die Kinder schreien macht
2880   Das Eva nicht vil schlif bei nacht /
Biß morgen besah sie die Kind
An dem sie gleich Rot flecken find /
Da wußt sie nicht daraus zuschlisen
Maint purpeln wurden drauß entsprisen.
2885   In dem ersicht sie zwen schwarz Mörder
Die mit dem stich anhalten härter.
Sih / seit ir hie / ir klain schwarz teufel /
Ir kommet von der Schlang on zweifel
Das ir die Kind stecht und vergift
2890   Inn irem schlaf solch unruh stift.
Und zornig gleich reißt sie die Windel /
Sticht nach dem Hundsfloh mit der spindel.
Er aber entsprang bei den härd /
Sie auff der spur eilt nach unbschwärt /
2895   Und iagt ins Feür den Kinderpfezer
Das er verprant gleich wie ain Ketzer /
Und als er lis ain grosen knall /
Maint sie / er spott ir inn dem fall
Biß sie den andern auch auftrib /
2900   Und in lang zwischen fingern rib /
Und legt in darnach auf ain Prett /
Zusehen ob er zän auch hett /
Und maint nit anders er wer tod.
In dem sie ain weil bei im stoht
2905   Da wischt er auff / und floh darvon /
Ach / sprach sie / das ist wol ain hon /
Vom flihen / will ich Floh dich nennen /
Dich allenthalb berennen / trennen.
Dan wer da flücht / den sol man jagen.
2910   Und wer verzücht / den soll man schlagen.
Fing darauf an / durchsucht die Kinder /

2884 purpeln: Masern. – 2910 verzücht: verzieht.

      Aber die Flöh warn vil geschwinder /
Sie sprangen von aim Belz in andern
Und thäten all zu Eva wandern.
2915   Da hat die gut Frau wol zuwehren /
      Dann weil sich die Flöh mächtig mehren
Mußt sies ir lebtag krigen / mörden /
Diweil sie täglich ärger werden.
      Daher komts / das ir Weiberstiber
2920   Noch täglich seit bei Weibern liber /
Weils erstlich wolten euch verjagen /
Und noch die Belz fast an in tragen.
      Habt noch vom ersten Evastreit
      Zun Weibern ainen alten Neid.
2925   Was dörft ir Schwarz Belzstiber dan
Die Weiber Unbills klagen an?
      Was habt ir ire Belz zustürmen?
      Wa man will stürmen mus man schirmen.
Sie haben euch gekauft kain Belz /
2930   Ir habt kain macht im fremden ghölz:
      Wie manchs gut weiblin het sehr lang
      Am Belzlin thät nicht euer trang.
Aber da sie stäts drein mus klopfen /
Und hin und wider ropfen / zopfen /
2935   So mus sie wol den Belz verterben
      Und sich um andere bald bewerben /
Pringet sie also um das gelt
Das sie zur Not oft nichts behelt.
      Wie manche het an aim genug /
2940   Wann sie nicht müßt euch zu betrug
Ainen stäts henken für den laden /
Herab zusprengen euch Belzmaden /
      Und ain andern frisch zihen an
      Vor euerm Flöhschwarm rhu zuhan /
2945   Was? seit ir nit ain Neidig gschöpf /

2919 stiber: Stieber, Läufer.

Und schwarz unruig Teufelsköpf /
  Das ir inen wolt dis erlaiden
  Welchs inen Got thät selbs beschaiden?
Dan hat nicht Got im ersten Garten
2950 Der Eva ain Gaisbelz berhaten?
  Und ir wolt sie dazu bewegen
  Durch plagen vil / in hinzulegen?
Ich wais / wan sie die Belz hinlegten
Das ir euch inn die haut einlegten /
2955 Sogar seit trotzig ir Belzreuter /
  Und der Weiber recht Erzmordneider.
Ir habt es erstlich angefangen /
Und seit des noch nicht musig gangen /
  Billich wer greulichkait thut uben /
2960 An dem würd Greulichkait getriben /
Frösch müssen ainen Storken haben /
Räubisch Nachtraben / die Galgnraben /
  Diselben / welche plut vergisen
  Nimmer ains guten ends genisen /
2965 Darum mus die plutmuck zerspringen
Wann sie will plut vom Menschen zwingen /
  Und unter euer schwarzer Rott
  Nimt kainer nicht ain rechten tod.
Gleich wie man von Tirannen spricht /
2970 Das on Plut zur höll kainer zicht /
  Und wie ain weiser sagen thet
  Ungwonters er nie gsehen het
Als ain altbetagten Tiran /
Und zu Mör ain alten Schiffman /
2975 Also mit warhait sag ich do
  Das ich sah nie kain alten floh /
Dan all die ich sah und seh do
Sind schwarz / und nimmer plo noch gro /

2947 erlaiden: verleiden. – 2950 berathen: gegeben. – 2958 musig: müßig. – 2965 plutmuck: Schnake. – 2978 plo: blau.

      Darum so werd ir nimmer gerhaten /

2980   Weil ir kain alte habt / die euch rhaten:

So gdunk euch nun nicht wunderbar /

Das ir nicht graw werd von gefar / ·

      Sintemal dise grauen nimmer

      Die weder ehr noch schand bekümmert.

2985   Und welche nicht grau wollen werden /

Gleich wie ir Mortdib / die stäts mörden /

      Die mus im schwarzen har man hencken

      Das iren Graue leut gedencken.

Fürnämlich die den grauen leuten

2990   Nicht wollen ire Ehr erbieten /

      Gleich wie ir habt ain alten sitt /

      Das ir des alters schonen nit /

Der alten Weiber / und Matronen /

Deren man solt vor andern schonen:

2995   Ja ir schont auch nicht anzuhauen /

      Die schwerleibige schwangre frauen /

      Die doch on das sind bald zuschrecken

      Das sie all Vir bald von sich streken /

      Und mag sich leicht etwas verkeren

3000   Das sie ain Entechrist geberen.

Drum sagt man / das aim schwangerm leib

Man aus dem weg ain häuwag treib /

      Und wer ain schwangern leib verlezt

      Wird für ain toppeln Mörder gschäzt.

3005   Ir aber solche Recht veracht /

Drum komt ir billich in die Acht /

      Das man euch erlaubt allen Daumen /

      Die gsottne Aier können raumen /

      Weil ir seit zwai / trei / virfach Mörder /

3010   Und wie man euch mag nennen härter.

      Dan wie manch missgeburt habt ir /

2981 gdunk: dünke. – 2983 grauen: ergrauen. – 3000 Entechrist: aus
Antichrist, hier in der Bedeutung von Mißgeburt. – 3007 f. ihr seid
allen Daumen preisgegeben, die ein Ei zu leeren vermögen.

Verursacht / und manchs schrecklich Thir?
Und das Menschlich geschlecht geschendt
Das man es nicht vor Thiren känt?
3015 Wie manche haben ir hautschinder
Gepracht um ire frucht und kinder?
Wann ir so plözlich plazt hinein
Als schütt kalt Wasser man auf ain.
Was dörft ir dan verwundern euch
3020 Das Weiber / so sint Milt und waich
Eueren hochmut trucken unter?
Sie han mehr ursach / das sie wunder
Wie inn solchen Staubklainen Säcken
Könn so grose greulichkait stecken.
3025 Sind frauen dan / wie ir sagt / zart /
Warum beisst ir sie dan so hart?
Und sind euer Waidwerk allain?
Aber dis würd die ursach sein /
Diweil ir wüsst / das euer Spis
3030 Sie meh dan ain Bauren vertris /
Und das euch fräut / die meh zuplagen /
Die es am minsten können tragen.
Da spürt man die halsstarrigkait
Die den Weibern thut alls zu laid /
3035 Und sich nur alles des befleisst
Was das edelst geschöpf vertreußt.
Und so ich recht die warhait rürt
Wie sich aim Flöh Canzler gebürt /
So mus ich schir erschrecken heut
3040 Uber euer unsinnigkait /
Daß ir euch wagen dörft so frisch
Hinter ain Volk das listig ist:
Ja das listigst / wann ichs dörft sagen /
Und es Weiber möchten vertragen.
3045 Wie ir solchs selbs gebt zuverstehn /

3015 haben: habt. – 3027 sind: sie sind. – 3030 vertris: verdrieße.

Und wolt ir doch nicht müsig gehn:
  Billich aber prauchen sie list
  Gegen aim feind / der Teuflisch ist /
Und inen gar ist uberlegen
3050 Mit der meng / die kain macht mag legen:
  Und wann man euch mit list nicht temt
  Ir trügen sie hin mit dem hemd /
Gleich wie die Bären inn Nordweden
Etwa den Königstöchtern theten /
3055   Und wie die Wölf aus Menschen gwandelt /
  In Litthau haben längst gehandelt /
Und wie die gail Gaismännlin pflagen
Die schön Weibsbilder hinweg tragen /
  Und wie der Jovisch Ochs that dort /
3060   Der Iwo die Jungfrau trug fort /
Und wie der Jovisch Adler thete
Mit dem Himelsschenk Ganimede /
  Wiwol es die aus libthat thaten /
  Ir aber thäten es zu schaden /
3065 Nicht das ir euch mit in ergezt
Sonder aufs äuserst sie verlezt /
  Gleichwie die Juden darum stälen
  Die Christenkinder / sie zuquälen /
Und ir plut mit Nadeln und pfrimen
3070 Heraus zustechen und zugrimmen.
  Solt man nicht prauchen list und strenge
  Wider ain solch plutdurstig menge?
Und denen prechen ab mit list
Deren man sonst nicht Mächtig ist?
3075 Ja warlich thut es sehr vonnöten

3046 ir: ihrer; also: und wollt von ihnen doch nicht lassen. – 3052
trügen: trüget. – 3053–56 Nach Olaus Magnus. Nordweden: Nor-
wegen. – 3055 Werwölfe. – 3057 Gaismännlin: Satyrn und Faune. –
3060 Iwo, ein Irrtum Fischarts. Jupiter entführte bekanntlich in Ge-
stalt eines Stieres Europa, die hier gemeint ist. – 3067 ff. Einst den
Frühchristen angedichteter, später auf die Juden übertragener Volks-
aberglaube. – 3070 grimmen: zwicken, kneifen.

Dem Weibervolk / euch so zutöden /
Ir machten sie sonst gar leibaigen
Das ir sie wie ain pferd besteigen /
   Wie Tamerlan den Baiazet
3080   Welchen er inn aim Käfig het /
Und im / wann er zu pferd wolt steigen /
Musst zu aim fusbank sich darnaigen:
   Ja wan sie nicht auch sind gar listig /
   Spotten ir iren darzu lustig /
3085   Gleich wie ir spott der frommen Magd /
Welche / als ir sie bei licht plagt
   Das licht lescht / euch dadurch zuplenden
   Das ir sie nicht im finstern fänden:
Aber was gelt es / wa heut aine
3090   Solchs thun würd / dan ich kenn gwis kaine.
   Sie werden lichter eh anzinden /
   Das sie euch Kammerfechter finden /
Und bei dem licht euch praten fein
Und nemmen euch den Sonnenschein:
3095   Sie erdenken eh heut flohfallen /
   Damit sie euch nur wol bezalen.
Und wiwol ir sehr flucht im sinn
Der Flöhfallen erfinderin /
   Geht Katzengbet doch nicht gen himmel
3100   Vil minder euer flöhgeprümmel:
Dannoch würd die / so sie erfand
Stäts werden gerümt euch zur schand /
   Und mit der weil zum ehrgemerk /
   Gsezt zun Erfindern guter werck /
3105 Wie deren vil sezt Plinius
   Und Polidor Vergilius:
     Weil der fund meh zurümen ist

3085 ff. Vgl. V. 1557 ff. – 3095 Vgl. V. 1085 f. – 3105 Plinius der
Ältere in seiner *Historia naturalis* VII. – 3106 Polydor Vergilius,
ein italienischer Gelehrter († 1555), schrieb ein Buch *De inventoribus
rerum*, Paris 1528.

     Als der die Kachel fand zum Tisch /
     Und der den laz fand an das gsäs /
3110 Auch allerlei schleck und gefräs:
     Auch der da schmidt das Kuderwelsch /
     Und die geschrift mit zifern gfelscht:
     Auch prettspil / würfel / hölzern spiss /
     Und der erstlich krebsfangen wiss.
3115 Sintemal der flöhfallen fund
     Meh nötig ist zu aller stund /
     Von wegen schützung menschlichs leibs /
     Und fürnämlich des Edeln Weibs.
     Darum wann ir der Weiber list
3120 Wolt absein / so demmt euer glüst /
     Dan wer ainen inn harnisch pringt
     Derselb auch ain zuschlagen zwingt.
     Sie haben euch gelegt vil luder
     Noch pleibt ir stäts des Achts nitt Bruder /
3125 Denkt ir nicht an die guldin Kätten
     Daran sie euch geschmidet hätten?
     Oder an Eisen schwere Plöck /
     Da sie euch schlugen inn die Stöck?
     Oder ans halsband und Gebiss?
3130 Wie etwan sie anlegten dis
     Ainem euerer Rottgesellen /
     Den sie zum Schauspil thäten stellen /
     Und fürten in herum im land
     Gleichwie die Moren den Helfant /

3111 Kuderwelsch: Gemeint ist hier Teofil Folengo, der unter dem Namen Merlinus Coccaius ein Werk mit dem Titel *Macaronica* (Venedig 1517) erscheinen ließ. Die Mischsprache (mit lateinischen und latinisierenden Einsprengseln), in der es geschrieben war, gab einer ganzen literarischen Formkunst den Namen: seither spricht man von macaronischer Poesie. Fischart bezeichnet diese manieristische Kunstform als Kuderwelsch = unverständliche Sprache (ursprünglich: ein mit französischen Brocken durchsetztes Deutsch). – 3112 die Chiffreschrift. – 3124 Brüder der Unachtsamkeit. – 3134 Helfant: Elefant.

3135   Oder wie Gaukler heut hanttiren
          Die Adler / Löwen umher füren:
          Mann führt in aber inn aim Belz
          Und nam man von im auf vil gelts /
          Dann jder sehen wolt den Affen /
3140   Der Weibern gibt so viel zuschaffen /
          Und fräuten sich seins unglücks all
          Das man dis wild Thir prächt inn stall.
              Ach diser hon solt euch abschrecken
              Das ir nicht meh die Weiber wecken /
3145   Wa ir nicht gar halsstärrig wären /
          Und mutwillig den Tod begären:
              Noch rümet ir stäts euren list
              Der doch nichts gegen Weibern ist.
          Sie sind euch vil zu listig / vil /
3150   Sie wissen auf euch tausend zil:
              Aus was für ursach mainet ir
              Das sie Belz tragen für und für?
          Warlich nur drum / das ir drein schlifen
          Und sie euch darnach drinn ergriffen.
3155   Dan Belz und Prusttuch sind der wald
              Darin sich das schwarz wildbret halt.
          Daher hat jene Edelfrau
          Damit sie euch nur wol verbau /
              Zwen Belz getragen unbeschwärt /
3160   Und das rauchst fein zusamen kehrt /
          Auf das ir euch dazwischen ein
          Verschlagt / und sie euch ausnemm fein.
              Aus was für ursach haben sie
              Die hündlein bei in spat und frü /
3165   Und wenden so gros kosten dran
          Das sies aus Malta pringen lan?
              Furwar nur drum / das die Mistpellen

3150 Ihr seid ihre Zielscheibe. – 3160 das rauchst: das Rauhe. –
3162 verschlagt: verbergt. – 3167 Mistpellen: Hunde, die auf dem
Mist bellen.

Euch fangen auf inn iren fellen /
Und euch darnach die zarte Weiblin
3170   Heraber kläubeln und recht häubeln.
    Warum lan sie die Busen offen
    Als wärn jung hüner draus geschloffen?
Nur das sie faren aus und ein
Und euch erhaschen bei aim bain.
3175   Warum han sie die finger gspizt
    Unter dem fürtuch inn dem Schliz?
Nur drum / das sie euch gleich ertappen /
Geben mit fingerhut ain schlappen.
    Warum lehrt die Muter das kind
3180   Wan sie ein floh oder laus find /
Das es alsbald diselben Mummeln
(Wie sie dan nennen euch Harhummeln)
Begert inns händlin woll zermelkt
Auf das es euch alsdann so welk
3185   Mit seinen Zarten Nägiln knitsch
Und euer Plut gleich an es spriz?
    Gewis nur darum / das sie gwonen
    Euer von kind auf nicht zu schonen:
Und warum solt man sie nicht lehren
3190   Sich zeitlich gegen euch zu wehren /
    Diweil ir flöh / wie ir gebt an /
    Auch in dem Stift zu Pulican
Euer jung Manschaft lehrt turniren
Und stark das spislin auf sie füren:
3195   Billich ist sich zur wehr zustellen /
    Gegen denen / die an uns wöllen.
Auch alte Weiber / drab mir grausst /
Die zihen sich eh nackend aus
    Damit sie euch Belzstelzer finden
3200   Es sei dafornen oder hinden /
Müsen also die scham hinlegen

3170 häubeln: auf die Haube (den Kopf) greifen. – 3187 gwonen:
gewohnt sind. – 3191 Vgl. oben V. 1141 f.

Nur das sie pringen euch zuwegen /
  O wie ain schrecklicher Anspect /
  Er hat mich oft wol mehr erschreckt
3205 Als wann ich sah ain wolf im Reiser
Und word darab wol neun tag haiser.
  Boz Belz / wie muß manch feine Maid
  Durch euer Maisterlosigkait
Stehn fornen und dahinden plos /
3210 Nur das sie werd der Maister los /
  Da sie euch sprengt am laden hrab
  Acht nicht ob ir fallt Schenkel ab
Oder in Kopf fällt löcher / beulen /
Oder wie Jämerlich ir heulen.
3215 Wie ir solchs selbs von Weibern klagt
  Und nicht des minder sie noch plagt:
Könnt ir nicht an den Märzen denken /
Wan sie Belz fur die läden henken /
  Da ir müsst / wa ir nicht wolt sterben
3220 Abspringen / euch Narung zuwerben:
Warlich ich wills euch nicht nachthun /
Ich spräng sonst / wie ain bschrotet hun.
  O wie wusst Jupiter so wol
  Wie er euch zum Zweck pringen soll /
3225 Inn dem er gschaffen hat den Merzen /
Der euch erfrört im leib die herzen /
  Das ir davon fällt an alln enden
  Wie die Mucken im herbst an Wänden:
Hehem / also mus man euch Merzen:
3230 Also vertreibt man euch das scherzen /
  Und die Satirisch gaile art
  Wann ir besteigt die Weiber zart /
Also mus man das gsäß euch külen /

3205 Reiser: Reisig, Jungholz. – 3208 Maisterlosigkait: Undiszipli-
niertheit. – 3222 bschrotet hun: ein Huhn mit beschnittenen Flügeln.
– 3224 Zweck: Zielpunkt. – 3226 erfrört: erkältet. – 3229 Hehem:
Interjektion des Räusperns; Merzen: ausmerzen.

Gleich wie jenem Mönch auf der Mülen /
3235   Und gleich wie Sant Franciscus that
Der seine prunst im Schne abbad /
Und wie Bruder Sant Benedict
Der mit nesseln sein leib erquickt.
Was gelts / der Merz trängt euch fein ein
3240   Die hundstag / da ir prünstig sein:
Ir solten schir im Märzen auch
Wie mein Grosvater het im prauch /
Zwen dägen for forcht um euch schürzen /
Und gegen dem März / der störzt / stürzen /
3245   Weil euch der März haisst recht ain Mars /
Der euch sezt Martisch auf den Ars /
Wie der herbst den häuschrecken thut /
Der inen den Häumont einthut.
Ir machet schir mit euern bschwärden
3250   Das nicht allain die Weiber werden
Listig / sonder halsstarrig auch /
Und pringens also gar inn prauch
Das sie es auch an Mannen üben.
Und also die ganz Welt betrüben /
3255   Ja / ir macht / wie ich hab gesagt
Ganz unverschamt manch fromme Magd /
Das manche sich nit schämt zuzaigen
Ir schwarz lang Prüst / dran die hund säugen /
Nur das sie euch Plutbälg erwisch
3260   Die hinder ir Prüst han genist /
Und mätzigt euch dan auf dem Tisch /
Ja auf dem Täller / drauf sie isst.
Kain frau mag so sehr nicht ergetzen
Das schärenschleiffen und das schwetzen /
3265   Wann sie sich zu den Gvatterin setzen
Und gar ain alte schart auswetzen /

3234 Anspielung auf die Grillekrottestisch Mül, vgl. *Geschichtklitterung.* – 3235 ff. Vgl. Vita S. Dominici V. 35 ff. – 3261 mätzigt:
schlachtet. – 3264 schärenschleiffen: Schwätzen.

      Sie greiffen nach euch / so ir stecht /
      Und richten euch nach irem recht
      Zwischen den baiden Roten daumen
3270   Auf das sie irem herzen raumen:
      Und wer es auch beim hailigtum /
      Es freiet euch kain Kirch noch Dumm.
      Dan / was dörft ir sie daran hindern?
      Wan sie reden von iren Kindern /
3275   Oder außrechnen ire Zeit /
       Und wie ir Kindtauf war berait /
      Und was ir Nachbarin trag für Röck /
      Und wie die Welt voll hochfart steck /
       Und wie ungern sie klaid ir Man
3280   Wann sie gern etwas Neus wolt han /
      Und wie er irn das gelt so schmal
      All wochen auf den Markt darzal /
       Und wie vil trachten sie nächst as
       Als sie am Tisch zu gast lang sas /
3285   Und andre meh nötige stück
      Die mir nicht all einfligen flick /
       Dan ich ja nicht der Teufel hais
       Der hinder der Meß on gehais
      Ain Kühaut voll schrib solcher reden
3290   Die zwai fromm Weiblin zsammen hetten /
       Ich wolt er het ghabt treck in Zänen
       Da er die Kühaut musst ausdänen /
      Hat er sonst nötigers nicht zuschaffen
      Inn der höll / dan sie hören Klaffen?
3295   Es ist ain grober unverstand
       Auflosen an des Nachbarn Wand:
      Aber ir Flöh seid schuldig dran /
      Das auch der Buz mus unru han /

3270 raumen: Raum, Luft machen. – 3272 freiet: befreit; Dumm:
Dom. – 3283 trachten: Gerichte. – 3286 flick: schnell. – 3287 ff. Diesen Vorfall erzählt eine Legende vom hl. Martin. – 3296 Auflosen:
horchen. – 3298 Buz: Popanz, hier Teufel.

Diweil die Weiblin zuvergessen
3300   Euer stich / wann ir sie stäts pressen /
Müsen hermachen etlich gsezlin
Von ainem langen Gvattersgschwezlin:
Daher sie auch euch zu Veracht
Die Kunkelmären han erdacht /
3305   Wie solcher ain langs Paternoster
Ovidius beschreibt zum Muster /
Die er / wie man gemainlich glaubt /
In Rockenstuben hat aufklaubt /
Damit man vor ernsthaftem gschwez
3310   Und aufhören / nicht acht der pfez.
Und ist kain wunder / das die frauen
Inn Kunkelstuben euch nicht trauen /
Diweil ir gehn dörft inn ain Rhat /
Darein man euch doch gar nicht lad.
3315   Was habt ir doch zuthun darinnen?
Ir könnt weder nähen noch spinnen /
Gleich wie die Spinn / die spinnerin /
Die man doch auch kaum leid darinn?
Daher die spinnen sich beklagen
3320   Das auch die Spinnerin sie ausschlagen:
Ir aber könnt nichts als nur stupfen
Mit Spindeln und Nadeln / und dan hupfen /
Solcher Stupfkunkelstubnerin
Bedörfen sie gar nicht dahin:
3325   Müsen daher die Weiber denken
Das ir euch drum bei in anhenken
Auf das ir inen bossen trähet /
Oder ain haimlichkait ausspähet.
Darum that jene Jungfrau recht
3330   Die ain solchen Ausspeherknecht /
Als sie in auf dem Markt erwischt /

3301 gszelin: Teile, ein bestimmtes Quantum. – 3304 Kunkelmären:
Märchen, die beim Spinnen erzählt werden. – 3306 Gemeint sind
Ovids Metamorphosen.

Inn das fischsäcklin stis so frisch /
Trug in im Thurn haim für ain fisch
Legt den Kuntschafter auf den tisch /
3335   Und pracht an im ein ir gedult
Und richt in wie er hat verschuld /
Nämlich / klämmt in zwischen die Thür
Das er von im streckt alle vir.
Dan darum tragen gern die Mädlin
3340   Wann sie ausgehn / die säck und lädlin /
Damit so ir sie unterwegen
Angreift / sie inn den Turn euch legen /
Und Baslermaidlin drum anhenken
Die Aimer / euch drinn zuertrenken.
3345 Wiwol ir nun seit forthailhaft
Wie ir euch rümt der aigenschaft /
Seit ir doch nie so bös gewesen
Sie könnten euch den knopf auflösen:
Dan ob wol ir arglistig gschöpf
3350 Die arme Magd / so wasser schöpft
Greift hinden an / und hacket sie /
Unter des sie hat grose müh:
Noch halt sie so steif nicht das sail
Ainer mus werden ir zu thail /
3355   Sie lasst ir eh inn hindern gucken
Nur das sie ainen hol vom rucken /
Den knitscht sie auf dem Wasserstain /
Weil ir vil härter sein dan stain.
Und billich straft man disen Man
3360   Der ain greift hinderwärtig an /
Und alles verterbt / plagt und jagt
Eh er ainem den krig ansagt:
Wie ir dan halt solch gwonhait stark /
Also das ir am Grempelmark /
3365 Die Weiblin / die ir kram anbiten /

3345 forthailhaft: überlegen. – 3347 f. Und mögt ihr auch überaus
boshaft gewesen sein, sie kriegen euch doch.

Und ob den haisen häfen prüten /
Anzäpfen / wie alt sie auch seien /
Und ab dem grauen har nicht scheuen.
Ich glaub / ir maint / das sie das schinden
3370 Nicht auf der gstropften haut empfinden /
Aber mit gfar / werd irs gewar /
Wan sie euch haschen also par /
Und werfen euch bös mißgewächs
Inn glut zuprennen wie ain hechs /
3375 Verprent also ain hechs die ander /
Damit bei Bösen die Rach wander:
Wann ir dann knillt wie Pulfertüchlin /
Darfur äs sie nicht Sträublinküchlin /
Diweil ir sie habt wollen plündern
3380 Und am geltlösen schantlich hindern.
Solch pein thun euch die Köchin auch /
Die euch erstecken inn dem Rauch /
Dan weil wie Scorpion mit schrecken
Ir leut vergift mit roten flecken /
3385 So mus man billich euch so peinigen /
Euch wie vergifter durchs feur rainigen:
Demnach die glut / bewärt das gut /
Unrain vom rainen schaiden thut.
Wiwol ir auch nicht feurs seit werd /
3390 Diweil man gold damit bewert /
Drum jene Magd euch gstainigt hat
Auf freiem Marckt inn freier statt
Damit die stain diselben decken
Die sich mit plutverguss beflecken.
3395 Manche die halt euch noch geringer /
Also das wann ir Maidlinzwinger
Sie trett / und sie euch greifen mus

3370 gstropft: struppig, hart. – 3372 par: nackt. – 3374 hechs: Hexe.
– 3377 knillt: knallt, knallend platzt. – 3378 Vgl. V. 1540; Sträublinküchlin: schmalzgebackene Kuchen aus dünnem Teig. – 3391 ff.
Vgl. V. 1451 ff.

Zertritt sie euch nur mit dem fus:
> Dan wann ain feind sich merckt veracht /
3400 Vergeht im sein hochmut und pracht.
Desgleichen thun auch dise Maidlen
Die euch inn die Saichkachel beutlen /
> Darinn ersäufen und vertelben /
> Doch seid ir auch kaum werd desselben /
3405 Diweil es Jungfrauwasser ist /
Nach dem viel Löfler wol gelüst:
> Was rümt ir euch der Listigkait /
> Demnach ir doch so torecht seit
Das ir schlift ainer inn ain Or?
3410 Dan thut sie nur die hand darfor /
> So seit ir Belzfisch schon im Nez /
> Da richten sie euch nach dem Gsez /
Welchs laut / wer sich rümt listig fast /
Und wird vom listigern uberrast /
3415 Des spott man der Rumnichtigen fräud
> Und straft sein unfürsichtigkait.
Wan aber ich von stück zu stück
Sezt euer unfursichtig tück /
> Die man noch täglich an euch spürt /
3420 Und aber auch hinwider rürt /
Der Weiber vortail / die sie treiben /
So könnt ichs nicht bei tag beschreiben /
> So halt ich euch zwar vil zu gring
> Das ich die Nacht mit euch zupring /
3425 Doch mus ich ain stuck nicht vergessen
Daran allain den Tod ir fressen:
> Und sag / das uber die beschwärd
> So ich hie oben hab erklärt
Dis ainig stuck euch allesammen
3430 Zum tod solt urtailn und vertammen /

3403 vertelben: vergraben. – 3406 Löfler: Buhler, Liebhaber. –
3414 uberrast: überrascht. – 3415 der Rumnichtigen fräud: über die
ehrgeizig-nichtige Freude.

Nämlich das ir / baid Herr und Knecht /
Baid Frau und Magd / baid hoch und schlecht /
Verhintert an iren geschäften
Und sie beraubet irer kräften
3435   Durch Plutsaugen und plözlich stich /
Die ainen schrecken schnelliglich /
Seit jederman ain uberlast
Es sei gleich bei hast oder Rast.
Dan wie manch Tochter und manch Magd
3440   Die gern wolt spinnen ungeplagt /
Und jzund an der arbait ist /
Zwickt ir / das ir vergehn die lüst /
Diweil sie euch nachfischen mus
Und drum auflegen aine Bus /
3445   Unter des spän sie ettlich faden /
Also pringt ihr die Frau inn schaden /
Die es der Magt sagt grob zu Haus /
Wann sie nicht spinnt ir tagwerck aus /
Und ist sie doch unschultig dran /
3450   Also spinnt ir nur hader an.
Solt nicht das ganze Hausgesind
Erwischen Wehr / und was es find /
Und euch verfolgen uber Mör
Auf das ir her nicht kämen mehr?
3455   Solt nicht ain Magd erzörnen sich
Das sie ums Kind käm liderlich?
Das sie auch iren Pelz zum Hemd:
Darein ir nist / mit euch verprennt?
Wie der Herr / der sein Scheur anzünd
3460   Der Ratten halben die drinn sind?
Oder sie sucht ain Eulenspiegel
Der ir den Pelz wäsch und versigel /
Oder an euch for grimmer hiz
Verstäch all spitze Spindelspitz?

3456 daß sie zur Unzeit gebäre. – 3461 Vgl. *Ein kurtzweilig Lesen
von Dil Ulenspiegel*, 30. Historie.

3465 Oder wie jene Tochter that
Die uber Flöh lis gan ain Rad
   Und aine Legion mit Flöh
   Mit plosem gsäs sezt inn den Schne /
Welchs euch ward herber als der Merz /
3470 Der euch recht störzt den Ragensterz?
   Ja wann sie euch Radprechen / Henken /
   Könnt ich sie nicht darum verdenken:
Wann sie schon hetten all den sinn /
Wie ir sagt von den Näderin
3475 Die euer Kammerjunghern etlich
   Steckt an ain Nadel / warlich spötlich /
Und prat sie darnach bei dem Feur /
Dis war woll etwas ungeheur:
   Aber es haißt hart wider hart /
3480 Ain harte schwart / würd hart gescharrt.
Was schads / het sie euch schon gefressen /
Wie wir von Libischen Völkern lesen
   Welchen kain Läus noch Flöh entgingen
   Wann sie derselben etlich fingen /
3485 Die nicht die Köpf dahinden lisen /
Da sie die Köpf in vor abbissen:
   Damit all hofnung in zunemen
   Da sie ainmal nicht wider kämen.
Solchs ist ain fein Exempel zwar /
3490 Welchs Herodotus beschreibt klar /
   Zu nuz den Weibern / sie zulehren /
   Dem unentlichen gschmaiß zuwehren:
Wolt nun ir Frauen auch meh sagen
Das Glehrte für euch sorg nicht tragen?
3495 Doch lehr ich kain zuessen das /
   Diweil es ist unsauber was /

3470 Ragensterz: imperativischer Name (rag den Sterz); Anspielung
auf den in die Höhe gereckten Schwanz der Tiere als Zeichen von
Kraft und Übermut. – 3490 Herodot (4, 108) spricht allerdings nur
von Läusen. – 3496 was: etwas.

Und gehört für die Affenmäuler /
Und Eselische Distelgailer:
    Gleich wie ich auch verbit himit
3500   Euch Weibern / das ir lan den sitt /
Die Flöh ainander zuzusaufen /
Dan wie möcht ir dem Teufelshaufen
    Solche ehr thun / in inn Wein zustecken /
    Und euern Leib damit beflecken?
3505   Sie sind nicht saubers Wassers wärd /
Noch das sie der Höllhund verzehrt.
    Wolt ir Jungfrauen machen euch
    Die schantlich Belzburst inn dem gleich
Das man ab inen trincken soll /
3510   Gleich wie die Buler trincken wol
    Ab euerm Har / wann sies bekommen /
    Ab euern tüchlin / die sie gnommen /
Und noch dazu / wann sie es künnten /
Euers schwais etlich pfund verschlünden /
3515   Dan / wie ich hör / stillt aim den Krampf
    Als in anwäht ain Jungfrautampf
Und thät kain grimmen meher fülen
Als er nur trank aus euern schühlen /
    Auch hailet ainem gleich sein Wund
3520   Als ers mit eurem Schlaier bund.
Wa sind dann dise schöne Gsellen
Die euch inn Käller nicht lan wöllen /
    Förchten das ir den Wein vergiften /
    So ir an Bulern wunder stiften?
3525   Aber es sind kaltsaichig Affen
Drum han wir nichts mit in zuschaffen /
    Wir wöllen wider auf die Flöh:
    Die ir forthin nicht saufet meh /
    (Verzeicht mir / das ich saufen sprech
3530   Wüst trünk ich für kain trinken rech)

3508 burst: Gesellschaft. – 3514 verschlünden: verschlängen. – 3518
schühlen: kleine Schuhe. – 3530 rech: rechne.

Ir habt doch genug Wehr zur seit
Schären und Messer / das irs schneid /
Schneid dapfer drein / wie ins fremd or /
Es wachßt euch darum kain grau hor.
3535 Jdoch wanns vileicht aine thät
Und biß schon ab die Flöhköpf stät
Könnt ich drum auch nicht zörnen sehr /
Diweil sie nicht die erste wer /
Sonder an den forigen Frauen
3540 Mag wol ain tröstlich Forbild schauen /
Welches sie nicht aus fürwiz thaten /
Sonder gros not lehrnt sies errhaten:
Wie hetten sie sonst temmen künnen
Euch Belzverherger / Klaiderspinnen?
3545 Anders stehts mit Flöh und Läushässern
Als mit den Caniblischen Leutfressern /
Dan die Leutfresser solches thaten
Aus greulichkait / on Menschlich gnaden /
Aber Flöhfresser sich zuwehren /
3550 Und ir Feind hidurch abzukehren.
Derhalben niman nicht verwunder /
Wan heut schon geschäh etwas besunder /
Und auch Flöhfresserin entstunden
Wie man Leutfresser hat gefunden /
3555 Nicht sich an euch zusättigen
Sonder sich zuvertädigen /
Weil nicht allain wie Mördersräuber
Ir am Leib schädigt alle Weiber /
Sonder wie Krankhait / Frost und Winter
3560 Sie auch an ihrer Arbait hindert /
Ja auch das träge Hausgesind /
Welchs on das nicht ist zu geschwind /
Erst noch mehr machet hinterstellig
Mit euerm kitzeln ungefällig.

3544 verherger: Verderber. – 3546 Caniblisch: kannibalisch. – 3563 hinterstellig: zurückbleibend, nachlässig.

3565   Also das ir auch inn der Kuchen
         Die Köchin bei dem Härd da suchen /
             Stampft sie / wann sie soll Schüsseln spilen /
             Das sie euch Stupfern nach mus wülen /
         Und macht also feirabend Später /
3570   Das richt nur an ir Ubeltäter.
             Ja oft wann sie anrichten soll /
             Supp oder Mus eingisen wol
         So gebt ir Schelmen ir ain zwick /
         Das sie mus greifen gleich zu rück /
3575   Und euch verjagen for all dingen /
             Alsdan ir inn die Speis da springen /
         Und inn den Pfeffer euch vermischt /
         So trägt man euch alsdan zu Tisch /
             Da ißt die Frau euch auf dem Hünlin
3580   Vileicht für Näglin und Rosinlin /
         Und also ir selbs Plut verschlind /
         Wie etwan Tiestes sein Kind /
             Daraus schwer Krankhait komt all tag /
             Die kain Arzt nicht errhaten mag:
3585   Seit also rechte Unglückstifter
         Recht Mörder / Bett und Tischvergifter /
             Die man nach Kaiserlichem Recht
             Mag prennen / praten / siden schlecht.
         Und so vil mehr haimische Feind
3590   Als fremde Feind zuhassen seind /
             So vil mehr soll man euch Bettspinnen
             Verfolgen / und kain lan entrinnen.
         Es wer kain wunder / das auch heut
         Gleich wie etwa for langer zeit
3595   Das Völklin inn Myuscia
             Gelegen im Land Achaia /
         (Welchs plag halben der Schnaken / Mucken /

3577 Pfeffer: Brühe, Sauce. – 3582 Tiestes: Thyestes. – 3595 Myuscia:
Myus, eine Stadt in Jonien, deren Bewohner der Mücken wegen nach
Milet auswanderten. Diese Begebenheit sowie die Auswanderung der

      Thät inn ain ander Land verrucken /
        Oder gleich wie die Abderiten
3600   Die for der Frösch und der Mäus wüten
      Inn Macedonien verzogen)
      Auch die Weiber von euerm plogen
        Verruckten wie Storken und Schwalben /
        Weil ir Plutmauser allenthalben
3605   An inen praucht so sehr die Wafen /
      Das ir sie nicht recht lasen schlafen /
        Sonder bei Nacht sie oft erschrecket
        Und on ain Hanengschrai erwecket /
      Könnt bei Nacht / minder rhuen / rasten /
3610   Als beschlossen Mäus im Protkasten /
        Es ist kain Bett noch Lägerstatt
        So hoch / so rain / gefürnißt / glatt /
      Ir könnt hinauf on Laitern fligen /
      Auch on Hufeisen / Staffel / stigen /
3615   Da könnt ir kain rhu haben nicht /
        Schrepft in das mans auch morgen sicht.
      So gibt man euch den Schrepferlon /
      Gleich wie ir arbait habt gethon.
        Dan wa habt ir das Handwerk glehrt
3620   Wann und wem das schrepfen ghört?
      Ir schrepft nur euer Wanst zumesten /
      Es sei zum bösten oder besten /
        Wann man es schon nicht ubertritt /
        Auch an enden / da es nuzt nitt /
3625   Und zäpft so bald das beste plut
      Als das ärgst / welchs euch nit wol thut:
        Wolt ir dan junge Schrepfer sein /
        Verdingt euch in ain Badstub hnein /
      Aber das werd ir noch wol lasen

Abderiten (s. V. 3599) dürfte Fischart dem Lexikon des Carolus
Stephanus entnommen haben. – 3598 verrucken: wegrücken, wegziehen. – 3620 ghört: angebracht ist. – 3623 Der Sinn dieses Verses
bleibt unklar. – 3624 an enden: an Orten.

3630   Weil ir das Naß wie Katzen hassen.
             Ir habt nur lust Plut zuvergisen /
             Und thun / was Weiber thut vertrisen.
         Ja ir Plutscherzer seit so wütig
         Das ir auch handelt sehr ungütig
3635   Mit Jungfrauen / so prangen sollen /
             Und bei der Hochzeit Mäulig schmollen /
         Die zäpft ir fornen / hinden an /
         Nur das sie da inn schanden stahn /
             Wie ir den Krig von euch selbs saget
3640   Aber uber den sig sehr klaget /
         Weil sie / wann sie vom Bräuttisch kommen /
         Klopfen die Peltz her wie die Trommen /
             Und prauchen da die baide Daumen /
             Raumen was sie for thäten saumen.
3645   Auch thuns euch recht ir Schadenfro /
         Diweil ir si wolt schänden do:
             Dan wer zuschänden ain gedenkt
             Denselbigen die schand selbs kränkt:
         Und wer haißt euch das Maidlin pfetzen
3650   Irs Bulen pfez mags meh ergetzen:
             Aber euch ist erlaid das Bir
             Darum tracht ir nach Malvasir /
         Das Rosenfarb Jungfräulich Plut
         Euch also wol inn Zänen thut /
3655   Das euch Belzjunghern nicht mehr schmeckt
             Der Vihmagt hindern / was sie legt /
         Noch auch der alten Trompeln prüst
         Und was des gmainen Waidwerks ist /
             Sonder man mus die Zän euch schaben /
3660   Euch nun mit Nonnenplast erlaben /
         Drum gsellt ir euch zum höchsten stamm
         Wie Roßtreck unter Oepfeln schwam /

3635 ff. Vgl. V. 2164 ff. – 3660 Nonnenplast: eine Leckerei. –
3662 Sprichwort: nos poma natamus. In Waldis' *Esop* erwähnt.

  Wolt wie die Feldmaus euch vermessen
  Mit der Stattmaus zu nacht zuessen /
3665 Nist unter guldin gwand und Seiden:
  Die warlich euch nicht lang erleiden:
   Dan weil sie sehr vil Klaider han
   Zihen sie täglich frische an /
  Sie han vil Mägd / die euch erschlagen /
3670 Und durch die Spis euch können jagen:
   Könnt also ir zu hoff nichts gwinnen
   Gleich wie hi oben auch die Spinnen:
  Noch dörft ir euern Hochmut zaigen
  Und erst auch inn ain Mönchskut steigen.
3675 Aber / was gelts / ir könnt wol flihen
   Wann sie aim Toden die anzihen?
  Welche man drum doch sälig spricht
  Und ir wolt sälig werden nicht?
   Nichts ist ain freind / der nicht inn Not
3680 Ja inn dem Tod auch bei aim stoht.
  Aber das aller ärgste ist
  Das ir auch inn die Kirchen nist
   Acht nicht obs Herculs Tempel sei /
   Darein kain Muck dorft fligen frei /
3685 Da ir die fromme Weiblin hindert
  An irer andacht / die ir mindert:
   Dan wie ist da ain Rucken / bucken /
   Ain schmucken / jucken / wann ir zucken /
  Ach / wie ain knappen und ain schnappen /
3690 Ain sappen / grappen und ertappen:
   Da kainer andacht ist so tif /
   Sie thut griff / wann sie schon halb schlif:
  Auch wann der Pfaff schon elevirt
  Die hand sie rürt / wann sie euch spürt:
3695 Und wer ists / ders euch gern vergißt

3672 Vgl. V. 2565. – 3683 f. Nach Plinius (10, 29) kam eine Fliege
in den Tempel des Herkules auf dem Forum boarium. Herkules
heißt deshalb Muscarius. – 3693 elevirt: die Hostie erhebt.

Wann ir Plutspisser ainen spißt?
Es gaht aim gar durch Bain und Mark
So giftig sind die stich und stark.
     Wie manchs Müterlin inn der Predig
3700 Schlif gern / wer sie nur euer ledig?
Aber kurzum / da ist kain Ru
Wie inn der badstub / ein und zu /
     Hindert nur ire gute Träum
     Und machts viel gröber dan dahaim
3705 Wie mir solchs oft die Weiber klagen /
Das ir sie allzeit vil mehr plagen
     Inn der Kirchen / dann je zu Haus.
     Glauben derhalben uberaus
Das euch allda der Teufel reut /
3710 Wa ir nicht selbs di Teufel seit.
     Und wer wolt schir daran auch zweifeln
     Weil ir Schwartz änlich seit den Teufeln?
Und wolt die Fromkait allda hindern
Baid bei den Alten und den Kindern.
3715   Kain wunder ists / sprach mal ain Weib /
     Das aine aus der Kirchen pleib /
Und het im Schliz die Hand zu Haus:
Wann inn der Kirchen allzeit draus
     Auß ainem Floh noch neun entstehn
3720   Und also grob zu Acker gehn.
Die Red entspringt aus ungedult
Und legt nicht recht auf dKirch die schuld:
     Jdoch wer kan dazu auch betten
     Wann ir ain so barmherzig tretten?
3725 Es solt aim Weib noch widerfaren /
(Wie dan soll gschehen sein vor jaren)
     Das ain Frau ain treibainigen Stul
     Warf nach aim Floh / der ir entful /
Auch inn der Kirchen / nur vor grimm.
3730 Dan aller zorn ist ungestümm
     Wann er pricht aus / und nicht wirt gzäumt /

Wie sichs an diser Frauen reimt.
Aber wann mir jzund die Frauen
Fein folgen wöllen und vertrauen /
3735   Will ich sie zur der lez jz leren /
Sich lachends munds auch wol zuwehren /
Wie ir zu end solchs hören werden
Euch Maidlinstriglern zu beschwärden.
Wolauf so räuspert euch darauf.
3740   Halt / das mir kainer nicht entlauf.
Es träumt in schon vom Teufel hie
Dan ir gewissen trucket sie.
Wiwol ich hab euch hart verbannt
Das ir mir nit springt for die wand.
3745   Dan dise grub ist schon besprengt
Mit Gaisplut / und mit Köl vermengt /
Und mein Mercurisch Richterstab
Mit Igelschmalz ich gschmiret hab /
Damit ich euch Flöh stillen mag
3750   Das ir werd stumm / und taub und zag /
Wie Mercurius mit seim Stecken
Konnt schlafen machen und erwecken.
Wolauf / so höret fleisig auf
Wie es sich jz zum ende lauf /
3755   Es wirt nun an bindrimen gan
Man wird aufn schwanz der Schlangen stan:
Ich will euch jz vom Teufel predigen:
Die Weiber / oder gar erledigen /
Oder sie doch fein unterweisen
3760   Wie sie euch pringen inn die Eisen.
Dann ich all ämter hab von Jove
Von der Flöh wegen an seim Hofe /
Jupiter würd von euert wegen /
Nicht erst stral prauchen / euch zulegen /
3765   Gleich wie die Weiber ir verlacht

3743 verbannt: gebannt. – 3746 Köl: Kohl. – 3755 an bindrimen: nicht
mehr so weitschweifig, in Fesseln, knapper. – 3758 oder: entweder.

Das sie anrufen Jovis macht /
   Wann ir inen thut ubertrang:
   Wolan / das ich die sach anfang.
Die sach hab ich recognoscirt
3770   Und hin und wider wol justirt /
   Euer Plutsauger klag vernommen /
   Auch ist mir auf der Post zukommen
Der Weiber gros verantwortung
Und klag von euer bschädigung /
3775   Wie ich euch die hab nach der läng
   Hie vor erzält on als gepräng.
So find ich nun zu ainem tail
Vil unschuld / welchs im dint zu Hail.
   Erstlich das alle Weiber gern
3780   Auch von Natur zufriden wern
(Es sei dann gar ain böser Muz
Die gern hat / das sie der Mann buz)
   Aber ir grose Fridsamkait
   Gibt euch Staubjunghern glegenhait
3785   Das ir sie plagt nach euerm willen /
Euern Plutdurst an in zukülen /
   Betrübt also der Frauen gduld
   Das sie ir Händ mit Plut verschuld.
Daher sehr vil im Frauenzimmer
3790   Mit bloser Hand euch töden nimmer /
   Sonder sie knitschen euch so fett
   Zwischen des Betbuchs gschloßnem Prett /
Oder sie zihen Händschuch an
Und prauchen Fingerhut daran.
3795   Daraus man sicht ir zartlichait
   Das Plutverguß nicht ist ihr fräud.
Aber ir zwinget sie dazu
Und laßt in tag und nacht kain rhu /
   Biß etlich sie mit Plut beflecken

3770 justirt: richtig gestellt. – 3781 Muz: derber Ausdruck für Weib.
– 3782 buz: schilt.

3800   Dadurch die andern abzuschrecken.
         Zum andern / wann sie schon vileicht
         Machen ir Händ im Flöhplut feucht /
             So thun sie solches nicht mit willen /
             Sondern himit euch was zustillen /
3805   Ist also ain Nothwehr zu haisen /
         Ain widerstand sie nicht zubeissen.
             Ja ist ain Belzrettung zu nennen
             Euer Belzrennen mit zutrennen.
         Ain Notwehr aber / wie man sagt /
3810   Ist ain Todwehr / wann mans nit wagt:
             Darum wann sie sich schon vergessen
             Und euch zu grob vileicht auch messen /
         Machts / das sie inn der Noteil hasten
         Dan Not kan nicht auff Rhot vil rasten.
3815   So ist auch billich / das ir gdenkt
             Wie ir in for habt eingeschenkt /
         So nemmet dran auch euern gwinn.
         Wie man ain sucht / so find man in.
             Zum dritten / ist es nicht aim Weib
3820   So fast zuthun um iren Leib /
         Als um der Kinder zarte haut /
         Die ir oft häßlich grob zerhaut /
             Und macht si bei Nacht wainen sehr /
             Davor sie nicht kan schlafen mehr:
3825   Ja welchs am maisten sie zerrütt
         So weckt ir auch den Mann darmit /
             Der mainet dan das Kind sei krank /
             Und fangt mit iren an ain zank.
         Ja ir macht / das die Nachbaurschaft
3830   Vor dem geschrai nicht ruig schlaft /
             Also ist auch mit den Jungfrauen
             Diselben auf ir Bulen schauen.
         Dann sie besorgt / wann die ersehen

3814 Rhot: Rat; rasten: warten. – 3828 iren: ihr.

Das sie vil juckt und greift nach Flöhen /
3835   So scheuen die sie anzusprechen
Auf das sie nit Flöh erben möchten.
Secht / solchen jamer richt ir an.
Wie kan ich ab den Weibern stan?
Ja kan hirinn nicht anders sprechen /
3840   Dan das sie sich sehr billich rechen /
Diweil si hizu treibet an
Ir lib zum Kind und irem Man /
Und wolt gern wie der Pellican
Mit irem Plut für alle stan.
3845   Zum virten ist ir angelegen
Das ir die Haushaltung bewegen /
Und pringet ain unordnung drein /
Diweil ir pfetzet inn gemain
Baid Frau und Magd / baid Knecht und Kind.
3850   Hintert also das Hausgesind /
Wann es an seiner arbait ist
Das es nach euern stichen wischt.
Wer wolt dann solche Hauszerstörer
Leiden / und solch Gesindverkerer.
3855   Solt man in nicht das Land verbiten /
Ich gschweig das Haus / darinn sie wüten.
Diweil an ains jden Haushaltung
Stehet das Hail der Landsverwaltung.
Zu lez / das ir kurz mögen schauen
3860   Die gros Rechtfärtigung der Frauen /
Sag ich / das sich vil meh gebürt
Das ain Weib uber euch regirt
Und strafet euer arge Werk /
Gleich wie den Fröschen thun die Störk /
3865   Als das ir uber sie gebiten
Und wider das Edelst Gschöpf wüten /
Weil ir Flöh nit inn dhöh seit gschaffen /

3838 abstan: nicht beistehen. — 3867 nit in dhöh seit gschaffen: nicht
für die Höhe bestimmt seid.

Sonder im Staub nur umzugaffen.
Nun habt ir gar den ganzen Klaiber
3870   Von der Rechtfärtigung der Weiber.
Jz laßt uns euer sach besehen
Warum diselbig wir verschmähen /
Und euch die gänzlich sprechen ab
Und euch vertammen bis inns Grab.

3875   Erstlich darum / weil offenbar
Da es ain alter Neid ist gar /
Ain Pelzhaß / den ir all inn euch
Aus Eve Pelz habt gsogen gleich /
Ganz liderlich und unbefügt /
3880   Diweil man euch hat recht bekrigt
Und euer mutwill nicht gelosen /
Sonder aus Peltzen euch verstosen /
Darinn ir grosen hochmut übten /
Und bald die Kinder erst betrübten.

3885   Welche gewonhait ir noch halten /
Und folget böslich euern Alten /
Die alle krigten ain bös end /
Welchs euch noch nit von Boshait wend.
Darum ist euch der Tod berait
3890   Zu lon euer halsstarrigkait.
Und wer wolt euch Peltzneidern doch
Was guts han zugetrauet noch /
Diweil ir euer greulich zangen
An Kindern gleich habt angefangen.

3895   Dan thut man args den jungen Zweigen
Was wirt den Alten mann erzaigen.
Hirum / weil ihr halt euern Neid
Bhalten die Weiber iren streit /
Und wer da ist am maisten schwach
3900   Der zih die Kaz dan durch den Bach.
Zum andern / so mißfalt mir mehr

3869 Klaiber: Anwurf, Brei, Dreck. – 3900 Anspielung auf eine ent-
ehrende Strafe.

Das ir seit also fräfel sehr /
Und übt gewalt / der dan gemainlich
Durchs Schwerd wirt niderghauen peinlich
3905 Und reibt euch an ein jden Stand /
Thut jder an gros schmach und schand /
Also das ir manch Frau verstören
Wann sie ist inn irn grösten ehren /
Und macht / das sie mus greifen oft
3910 An haimlich örter / unverhoft /
Und suchen euch / wa ir sie sucht /
Euch strafen um solche unzucht.
Ja ir dörft sie so hoch bemühen
Das sie sich nackend aus mus zihen /
3915 Und machen ainen bösen plick /
Sind das nicht arge Bubenstück /
Damit ir Weiblich scham erösen
Und irer decke sie entplösen?
Greifen auf ofnem Markt vor Leuten
3920 Fornen und hinden und zur seiten.
Fürwar dis sind solch Schelmenzotten
Die mit dem Feur wern auszurotten.
Wie solt ich euch dan lädig sprechen /
Ich wolt euch eh das Rad zutrechen.
3925 Zum dritten / sag du Schwarze Härd /
Ist nit dein groser Plutdurst wärd /
Das man solch Plutig Urtail sag
Das Plut uber deim Kopf ausschlag.
Dann seitainmal euch Mörder all
3930 Nicht die Natur straft inn dem fall /
Wie die Plutschnak / so mit gewalt
Entzwai börst vom Plutsaugen bald /
So seit ir Weibern vorgeschlagen

3902 fräfel: unverschämt. – 3915 plick: Anblick. – 3917 erösen: er-
schöpfen, zu Grunde richten. – 3921 Schelmenzotten: Schelmen-,
Bubenstücke. – 3924 zutrechen: zuerkennen, aufladen. – 3933 Dann
bleibt es den Weibern erspart.

Das sie euch aus dem Plutbad zwagen.
3935   Dan kain Mord pleibt lang ungestraft
        Wann er ain weil schon rhut und schlaft:
Fürnämlich / so ir auch vergift /
Wie solchs die Weiber han geprüft.
        Zum virten / ir euch selber schänt /
3940   Weil ungedäumelt ir bekänt
Das schleckshalb ir seit also wütig /
Und wagt euch inn Tod so tollmütig /
        Dann uberfluß / schleck / gail gelüst
        Die sinn verwüstet / und vertüst /
3945   Und geiz und unersättlichait
Gebürt im Gmüt unsinnigkait.
        Weil ir dan seit verruckt im Sinn
        Gebt ir euch selbs inn Tod dahin.
Wer aber sich selbs pringt ums leben
3950   Der kann andern die schuld nit geben.
        Wolan / so gebt euch selbs di schuld
        Das ich zu euch trag gar kain huld.
Zum fünften / solt michs nit vertrisen
Das ir Betstrampler so geflissen
3955   Mit euerm picken / griffen / zwicken /
        Dem Hausvater sein Gsind abstricken /
Und von der arbait gar entwänen /
Wann es sich mus nach euch vil dänen.
        Wie kan ich euch hi fallen bei
3960   Und loben solche Meiterei?
Dan jdem frommen Man gefalt
Das man den Hausfriden erhalt /
        Welchen ir Maidlinstrigler all
        Zu boden richten und zu fall.
3965   Man sagt / besser ain fenster aus /

3934 zwagen: waschen. – 3940 ungedäumelt: ohne Daumschrauben,
ohne Folter. – 3942 tollmütig: tollkühn. – 3944 vertüst: vertuscht,
schädigt. – 3946 Gebürt: gebiert. – 3956 abstricken: abspenstig machen. – 3958 dänen: dehnen, recken.

Dan das zu grund gang gar das Haus /
    Also wer beßer / das ir sterben /
    Dan das gar wirt ain Landverterben.
Lezlich / weicht ir Pelzgumper auch
3970   Von euer Speis und altem prauch /
    Der einhilt / das ir Thirplut schluckten /
    Und nit das Weiber Volk vil truckten:
Aber ir wolt nur Menschenplut
Welches nie kainem kam zu gut.
3975   Wi kan euch hold sein dan ain Weib /
    Weil ir tracht nach irm Plut und Leib?
Zu dem / so ubermacht irs gar
Mit dem Plutzäpfen imerdar.
    Und weil ir hilt kain mas darin
3980   Stallt ich kain mas im strafen in.
Jdoch das diser gfärlich streit
Nicht mit der zeit wachs gar zu weit
    Hab ich mir jzunt fürgenomen /
    Mit dem Urtail solchs fürzukommen /
3985   Und solchs auf rauhe wäg gar nicht /
Sonder vertragsweis zugericht.
    Nämlich / das kain Floh kain soll beissen
    Er wiß dan auch schnell auszureissen /
Kain Floh kain Frau soll zwingen / tringen /
3990   Er wais dann wider zuentspringen /
    So lib im sein Leib / Leben ist /
    Dan so er vileicht wirt erwischt
Will ich dem Weib sehr gonnen wol
Das sie zu tod den kizeln sol.
3995   Dagegen sollen auch die Frauen
    Fleisig inn dem fall für sich schauen /
Und kainen töden / dan sie wissen
Das der sei / der sie hat gebissen:

3969 Pelzgumper: Pelzspringer. – 3971 einhilt: die Bestimmung ent-
hielt. – 3977 ubermacht: übertreibt. – 3980 Darum setzte ich ihnen
auch keine Grenze im Strafen. – 3988 ausreissen: fliehen, entwischen.

Oder die Weiber müsen nun
4000   Ain widerruf in alsbald thun /
Und in nach Westphalischem Recht
Vom Galgen nemmen / ist er gschmecht.
Auch das sie in die Zän besichtigen
Und den Verprecher alsdann züchtigen /
4005   Und der ihm die Zän ausklemmen /
Oder im sonst den Angel nemmen /
Gleich wie man thut den grosen Prämen /
Oder am linken Fus in lämen.
Das sind miltlinde plagen / strafen /
4010   Die nicht des minder auch was schaffen /
Und das Flöhbürstlin auch erschrecken /
Weil solch pein sich zum tod auch strecken:
Dan so straft man aufrürisch Lauren
Gleich wie die Ditmarsische Bauren /
4015   Das man in lämt und plent die Pferd:
Nimmt in all Wehr / Spis / Büchs und schwert /
Oder machts / wie der Türk vor Rab
Haut in den rechten Daumen ab.
Dan liber / wie ist der gerüst
4020   Der lam / plind und unwehrhaft ist?
Also möcht aller neid und streit
Werden on Plutvergus zerleit /
Und werden angericht ain Zucht
Die sonst ist vil zu sehr verrucht.
4025   Aber auf das ir Flöh könt sehen
Das ich billichkait nach thu spähen /
So will ich euch vir ort erlauben
Da ir die Weiber möget schrauben.
Erstlich nur auf die gänge Zung /

4001 nach Femerecht. — 4002 gschmecht: geschmäht. — 4007 Prämen: Bremsen. — 4011 Flöhbürstlin: Flohgesellschaft. — 4013 Lauer: Bösewicht. — 4014 ff. Bei der Unterjochung der Dithmarscher durch die Dänen 1559. — 4017 Im Jahre 1537. — 4022 zerleit: zerlegt, beendigt. — 4029 gänge: bewegliche.

4030   Welchs ir Wehr ist und tädigung /
        Damit sie sehr die Mann betören
        Wann sie nit schweigen und aufhören /
        Auf das ir in das gänge Plut
        Ain wenig ausher schrepfen thut.

4035   Wiwol ir werden haben mü /
        Weil sie die üben spat und frü.
        Demnach solt ir auch freihait haben
        Im Krös der Kälber umzutraben /
        Die sie um hals und händ umzäunen

4040   Das sie wie ain Irrgarten scheinen:
        Folgends wans vileicht auch nit schad
        Zäpfts an im Niderwad und Bad.
        Aber da las ich euch für sorgen
        Wie ir darein komt wol verborgen.

4045   Und secht / das ir euch da nicht nezt
        Ir fligt sonst wie ain nasse Hez.
        Zum tritten / möcht ir auch im danz /
        Bey inen wagen recht die schanz /
        Auf das in die Danzsucht vergeh /

4050   Sie kitzeln an der linken Zeh /
        Und aufm hintern Küßbacken beissen /
        Dan da empfinds kain glüend Eisen.
        Secht / sind euch das nicht vortail gros /
        Das ich euch stell die Weiber plos?

4055   Jdoch gebit ich euch beim Bann
        Das irs greift forderwärtig an /
        Und vor dem stich vor allzeit schreien /
        Auf das ir nicht Verräter seien.
        Jdoch rüft nicht zu laut und hell /

4060   Und nicht wie Kärchelziher schnell /
        Die erst als dan Aufsehen rufen

4030 tädigung: Verteidigung. – 4038 Krös der Kälber: große,
vielfach gefältelte Halskrause. – 4042 Niderwad: Unterkleid. –
4046 Hez: Elster. – 4048 schanz: Chance, Einsatz, Spiel, Glück. –
4051 Küßbacken: Hinterbacken. – 4056 forderwärtig: von vorn. –
4060 Kärchelziher: Karrenzieher oder -schieber.

Wann sie ain stosen / und vor puffen.
Wer aber weiter schreiten wolt /
Nicht sein gehorsam / wie er solt /
4065 Den will der Freihait ich berauben /
Dem Vogel inn der luft erlauben /
In aus dem Frid inn Unfrid setzen /
In gar preis geben zuverletzen /
In han verbotten seinen Freunden
4070 Und gar erlaubet seinen Feinden /
Das alle Weiber prauchen mügen
Alle Flöhfallen / die sie krigen
Und sie darin aufhengen dan
Zu ainem spott vor jderman /
4075 Gleich wie den Täuferischen König
Johan von Laiden widerspänig /
Der zu Münster im Käfig hengt
Das man des Nadel Königs gdenkt.
Oder wie man lehrt inn vil Stätten
4080 Bös Leut im Narrenhäuslin betten.
Oder euch binden / und anfesseln
Euch für ain Bären umzukesseln /
Oder zuspannen inn den Pflug
Und inn ain Karren / zu dem zug /
4085 Wie den Alexander von Mez /
Dessen hemd im Pflug weis war stäts.
Ich dörft auch zwar erzörnen mich
Wan ir mir nit folgt aigentlich /
Das ich die Weiber lehret flicken
4090 Die Flöhgarn / und die Flöhnez stricken /
Auf das ir scharen weis behangen /

4062 vor: zuvor, vorher. — 4066 f. Ihn für vogelfrei erklären. —
4075 ff. Johann von Leyden, seinem Beruf nach ein Schneider (darum
V. 4078 ‚Nadel König' genannt), wurde König der Wiedertäufer zu
Münster und nach seiner Hinrichtung 1536 in einem Käfig an einem
hohen Turm aufgehängt. — 4082 umkesseln: mit der Kesseltrommel
umherführen. — 4085 f. Alexander von Metz ist der Held eines Mei-
sterliedes. — 4091 behangen: hängengeblieben.

Gleich wie wir Fisch und Vögel fangen.
Ich dörft sie auch Flöhangel weisen
Und die plinden scharfen Fuseisen.
4095   Ja / wann ir nicht thut nach meim wunsch /
Will ich sie lehren die neu Kunst
Mit Hasenleim / so heut erdacht /
Das man damit das Wiltprät facht /
Dan man sol dem kain gnad beweisen /
4100   Der mutwillig komt inn die Eisen /
Und ain verwänten Ubertretter /
Straft man für doppeln Ubeltäter.
Derhalben wann euch Stubenstäuber
Um den unghorsam schon die Weiber
4105   Hart strafen / und am Plut sich rechen
Will ich sie doch drum ledig sprechen.
Ja ich will sie gewarnet haben
Das sie euch ligen lan unbgraben /
Und euch nicht trauen / wann ir euch
4110   Stellt als wern ir ain Todenleich /
Sonder wann sie zu tod euch schleifen
Sollen sie vor den Puls euch greifen /
Und fülen / ob derselb noch schlag /
Ob es ain leben noch vermag /
4115   Dann gwißlich wann er wirt erstan
So wird er widerum auch gan.
Und lezlich wan euch alles dis
Nicht will bewegen / saur noch süs /
So werd verursacht ich daran
4120   Ain gbott wider euch gan zulan /
Gleich wie inn Engelland geschähen
Wider die grose mäng der Krähen /
Und wie die Ulmer järlich sazten
Gebott wider die loidige Spatzen /
4125   Das man der lonet / die euch töd /

4098 facht: fängt. – 4101 verwänten: gewohnten. – 4103 stäuber:
Jagdhunde.

Weil wol das Land on euch besteht.
   Und das ir recht vernemmen künd
   Wie ich sei gegen euch gesint
So bin ich ganz und gar bedacht
4130   Wann ir dis alls nicht habt vollpracht /
   Euch zuverbannen / gar mit schand /
   Hinein inns kalte Lappenland /
Da sehr die kält ist euer Feind /
Wiwol die Belz da wolfail seind.
4135   Ja ich will euch verbannen rund
   Zu dem Höllischen Kettenhund /
Das Cerberi Feurrote haut
   Werd euer Acker den ihr baut /
   Dan der kan euer Fägfeur sein
4140   Euch fägen / das ir beissen kain.
Oder ir müßt zun Häringsspeisern
   Zun Aierschwaisern / öpffelpfeisern /
   Und zu den ewig Freitagspreisern /
   Zu den Belzwarmen Mönchs Cartäusern /
4145   Dan bei den / wie Cardanus schreibt /
   Kain Wandlaus / noch kain Floh nicht pleibt.
   Drum weil si kain Flaisch speisen gut
   Schmackt euch nit ir Fischschmackend Plut.
Entlich / meh vortail euch zugeben /
4150   Möcht ir wol bei Barfüsern leben /
   Welche doch haisen euer Prüder /
   Die werden euch nit sein zuwider /
Sonder saufen lan am faißsten ort /
Auf das sie thun kain Prudermord /
4155   Oder ziecht inn die haise Land
   Da man nicht spürt so bald den Prand /
Dann deren haut ist etwas härter /
Als deren an den kalten örtern.

4142 Aierschwaiser: Eierbrater; öpffelpfeiser: Äpfelbrater. — 4153-58
stehen im Original fälschlich nach V. 4166; in späteren Ausgaben ist
dies gebessert.

Derhalben / so euch ist zurhaten
4160 So folgt des Canzlers Flöhgenaden.
Wolt aber ir nicht stillstan nun
Und habt meh forderung zuthun /
Möcht ihr noch euer Recht wol werben
An die Weiber und ire Erben /
4165 Aim jden sein recht vorbehalten
Baid an die Jungen und die Alten.
Himit so will ichs jzund enden /
Den Zauberstab nun von euch wenden /
Und euch gar aus der Gruben lasen.
4170 Nun spring ain jder seine Strasen:
Und grüset / bitt ich / von meintwegen
Die erst Frau / so euch komt entgegen /
Dan da find ir kain Igelsschmalz /
Sonder zart Kalbflaisch ungesalzt.
4175 Wolan / die Flöh die sind davon.
Nun mus ich thun Provision
Euch Weibern / wie ain Flöh Arzt auch /
Dan dis ist mein Amt und mein prauch:
Derwegen will ich nun zu lez
4180 Euch geben Flöharznei Gesez /
Wie ir die Flöh on Plutverguß
Hinrichten / und on ubertruß.
(Dan ich kurzum nicht sehen kan
Das Weiblich händ mit Plut umgan)
4185 Und sind die Arzenei probirt
Wie ich si hi hab eingefürt.
Darum wann sie euch helfen werden
So danckt mir auch für mein Beschwärden.

Nun die schönen Flöh Recept
4190 Sind also betrept und gestept.

4163 werben: verlangen, weiter verfolgen. – 4176 thun Provision:
Vorkehrung treffen. – 4179 zu lez: zum Abschied. – 4190 betrept und
gestept: Fachausdrücke der Näherinnen; mit Trepp- und Steppstich
versehen; hier: fix und fertig.

Recept für die Flöh.

Die Flöh aus den Kammern zu vertreiben.

I. NIM Dürrwurz oder Donnerwurz / koch es inn Wasser / bespräng demnach das gemach / so macht es den Flöhen ir sach.

II. Wirket desgleichen auch der Senfsamen / und Oleander / wann mans praucht wie das ander.

Flöh zu töden.

III. Nimm ungelöschten Kalk / mach in durch ain Sib / bespräng damit die sauber gefegt Kammer / so richt es an ain grosen jamer.

IIII. Nimm wilden Kümmich / wilde Cucumer / oder Coloquint / koche es inn Wasser / bespräng damit das Haus / so macht es den Flöhen den garaus.

Flöh und Wäntel zu vertreiben.

V. Nimm Wermut / Rauten / Stabwurtz / wilde Müntz / Sergenkraut / Nußlaub / Farnkraut / Lavender / Raden / grün Coriander / Psilienkraut / lege dise Kräuter alle / oder ain tail davon / under die Küßpfulwen / oder koche sie inn Mörzwibeln Essig / besprenge sie damit / so gaht kaine meh kain tritt.

VI. Nimm Wassernus / oder Mördisteln / oder Flöhkraut oder Coloquint / oder Bromberkraut / oder Köl /

IIII. Kümmich: Kümmel; Cucumer oder Coloquint: Cucumis Colocynthis, eine orientalische Gurke, ein starkes Purgiermittel. — vor V. Wäntel: Wanze. — V. Küßpfulwen: Kissen.

koch es inn Wasser / bespräng damit die Gemach im Haus / so laufen sie all daraus.

VII. Ist fast ain guts die Flöh aus den Decken oder Klaidern zubringen / so man Gaisplut inn ain Aimer oder Fäßlin thut / und es under die Betstat stelt / dan da samlet sich die ganz Flöhwelt.

VIII. Schreibt Cardanus / das von Flöhen / Mucken / Schnacken und Wanzen / könne ain jgliches von saim aignen rauch / so man es prent / werden getöd und geschänt / derhalben mach man vil Flöhrauch / so vertreibt es die Flöh auch / gleich wie ein bös Weib den Gauch.

IX. Die Flöh auf ain ort zusamen zupringen. Mache unter dem Bet ain grub oder ain loch / füll darein Gaisplut / so werden sich alle Flöh darin anhencken / die möcht ir alsdan erträncken / oder sonst dem Teufel zum neuen Jar schencken.

X. Oder nimm ain Hafen / stelle oder grabe in inn ain loch / also das er dem Herd oder Boden gleich und eben stande / schmir in allenthalben mit Rinderschmaltz / so werden sich alle Flöh dahin walzen / die kan man als dan schön einsalzen.

XI. Die Flöh zuvertreiben / nimm Holder / baiz / oder siid es inn Wasser / und bespräng alsdan das Flöhig ort damit / so töd es die Flöh und Mucken / das sie niman trucken.

XII. Soll bewärt sein / das wan ainer Psilienkraut oder Flöhkraut / diweil es noch grün ist / inn ain Haus träget / so verhinderet es das kain Floh darinn wachse / noch Aier gachse.

XIII. Schmire ain Stecken mit Igelsschmalz / stelle in mitten inn die Kammer / so kommen die Flöh alle an den Stecken / die prat als dan für Schnecken / wer waißt / sie mögen vileicht eben so wol schmecken.

VIII. Gauch: Weibernarr. – XI. baiz: mit scharfer Flüssigkeit behandeln. – XII. gachsen: gackernd legen wie die Hennen.

Flöhlid zu singen / wann sie die Pelz schwingen / schön inn tact zupringen.

Im Thon / Entlaubet ist der Walde / etc.

DIE Weiber mit den Flöhen / Die han ain stäten Krig
:/: Sie geben aus gros Lehen / Das man sie all erschlüg /
Und lis ir kain entrinnen / Das wer der Weiber prauch.
So hettens rhu beim spinnen / Und inn der Kirchen auch.

II. Der Krig hebt an am morgen / Und wärt bis inn
die Nacht :/: Die Weiber in nicht borgen / Und heben an
ain Schlacht. Und so sich die Schlacht fahet an / Werfen
sie das Gewant darvon / Und allweil sie zufechten han /
Inn dem streit sie nackend stahn.

III. Und wiwol man klagt sehre / Das sie sind schuldig
dran :/: Das sich das Flöhgschmais mehre / Weil sie Belz
tragen an. Sag ich / es sei erlogen / Dann Got hat Even
bald / Im Garten Belz anzogen / Wer ist der Got je schalt?

IIII. Ja het ich allweg pare / Ain Gulden inn der
hand / Als oft die Weiber fahren / Nach Flöhen unters
Gwand / Ich wirt ain reicher Knabe. Het ain köstlichen
Zoll / Ich wolte gar bald haben / Ain ganze Truhen voll.

V. Und könt ain Mönch verbannen / Die Flöh so ungeheur / Mit prifen treiben dannen / Dis Weiber Fege-
feur / Verstis die Flöh so böse / Hin inn die Höllen
recht / Der wirt sehr vil gelt lösen / Von dem Weiblichen
Gschlecht:

VI. Der dis Lid hat gesungen / Trägt ain mitleiden
gros / Mit Weibern hart getrungen / Von Flöhen uber
dmoß / Und wünscht das alle Künste / Gedächten auf all
wäg / Das man zur Frauen dinste / Der Flöhen mutwill leg.

V. prifen: vielleicht rotwelsch für Karten legen. – VI. uber dmoß:
über die Maßen.

Friden und rue vor den Flöhen /

Schaben und Läusen: vor den Raupen | Schnaken und
Flädermäusen. Von Würmen | Fröschen und Schnecken.
von Ratten | Schlangen | Spinnen und Häuschrecken.
Wünscht Reznem dem Läser on schrecken und gecken.

    Homerus der Poeten Licht
    Und der Fürnemst von Künstgedicht
        Der hat uns wöllen unterweisen
        Den Krig der Frösch mit seinen Mäusen.
5   Desgleichen der Virgilius
    Hat beschriben mit guter mus
        Die klag der Schnaken von den Leuten
        Wie sie irn stich so ubel deiten.
    So hat auch der Ovidius
10   Gestellt wi sich beklag die Nuß.
        Ja der Fantastisch gros Poet
        Hat sich gewünschet all zu schnöd
    Zu ainem Floh / auf das mit fug
    Er bei seim Bulen steck genug.
15   Das wer den Maidlin zubegeren
        Das alle Flöh Ovidisch weren /
    So würden sie nicht so gepfetzt
    Wie man sie sonst den wäg verletzt.
        Ich aber wünscht demselben Gecken
20   Das er irs kats vil pfund müßt schlecken /
    Und das ims lib Herz drinnen schwimm
    So wer sie dan gesteckt inn im.

Vor 1 Reznem: Anagramm von Menzer (= Mainzer), Fischarts Bei-
namen. – 1 ff. Die literarischen Anspielungen dieses Epilogs sind im
Nachwort besprochen. – 18 den wäg: vielleicht derart. – 20 kat: Kot.

Weiter hat Favorin bewisen
Des Fibers unschuld / unds geprisen /
25   Auch fast globt den Unflat Thersiten
Als ob im Ehr sei zuerbiten.
    Gleich wie auch Lucianus that
    Ders Schmarotzen entschuldigt hat /
Als ob es sei ain feine konst
30   Weil man damit krigt vil umsonst.
    Hat auch die Muck herfür gestrichen
    Sie gar dem Elefant verglichen.
Und Sinesius lobet frei
Das die Kalhait zuwünschen sei.
35   Was lehrt Esopus durch all Thir
    Dan das sie weiser sind dan wir.
Desgleichen hat man solche Kunden
Zu unsern zeiten auch gefunden /
    Als Porcium / den Säupoeten
40   Der weißt wie Schwein ainander töden /
Und Erasmum von Roterdam
So rümt der Thorhait grosen stamm /
    Agrippa auch von Nettershaim
    Lehrt wie schön sich der Esel zäum /
45   Und das er nicht sei faul und träg
Sonder bedachtsam auf dem wäg.
    Cardano ist sehr angelegen
    Das er bei Leuten pring zuwegen
Das man nit meh den wust der Welt /
50   Neronem ain Tirannen schelt.
    Hat nicht von Strasburg Doctor Brand
    Im Narrenschiff gstraft jden Stand /
Bei Narren grose Weishait glehrt?
Weil mann nit ernsthaft ding gern hört?

33 Sinesius: Synesius, Bischof zu Ptolemais Anfang des 5. Jh.s n. Chr.,
schrieb ein *Encomium calvitii.* – 39 Porcius = Johannes Placentinus,
von dem die *Pugna porcorum* stammt, ein Gedicht, in welchem jedes
Wort mit *p* anlautet.

55   Was soll ich vom Eulnreimer melden /
        Der im gereimten Eulenhelden /
        Den Eulenspigel steckt zum zweck
        Allen Schälcken im Bubeneck /
        Im grosen Bubeneck der Welt /
60   Dann Schälk erfüllen Stätt und Feld.
        So hat der Eisler Kappenschmid
        Erhebt der Narren Kappen sitt.
            Auch Doctor Knaust rümt die Aumaisen
            Und thut die faul Rott zu in weisen.
65   Und wer hat nicht gelesen heut /
        Die Wolfsklag / wie er klagt und schreit
            Das man im gibt kain Kuttelfleck
            So trüg er kaine Schaf hinwegk /
        Und das er sich im Stegraif nehr
70   Diweil man in kain Handwerk lehr.
            Wer sicht nicht was für selzam streit
            Unsre Prifmaler malen heut /
        Da sie füren zu Feld die Katzen
        Wider die Hund / Mäus und die Ratzen.
75   Wer hat die Hasen nicht gesehen
            Wie Jäger sie am Spiß umtrehen.
        Oder wie wunderbar die Affen
        Des Buttenkrämers Kram begaffen.
            Und andre Prillen und sonst grillen
80   Damit heut fast das Land erfüllen
        Die Prifmaler und Patroniter
        Die Laspriftrager und Hausirer.
            Derhalben mit dem Edeln haufen
            Auch mitzuhetschen und zulaufen /
85   Den Flöhstreit wir eingfüret han
        Auf das wir durch solch weg und ban
            Nicht allain Weiberhuld erlangen

---

72 Prifmaler: Illustratoren. – 79 Prillen: evtl. zusammenhängend mit
April, dann Possen. – 81 Patroniter: Illustratoren. – 82 Lasprif-
trager: Losbriefträger? – 84 hetschen: derb für gehen.

Darum man sonst pricht spis und stangen /
Sonder der Männer und Gesellen
90   Die ire huld erlangen wöllen.
Auch ob ich schon erlang kain gonst
Und hören mus manch bösen wunsch /
So tröst ich mich der Schnaken grab /
Welchs Virgilius so ausgab.
95   Ich arme Schnak lig hie begraben /
Undankbarkait hats Grab erhaben.
Dan weil ich weckt mit meinem stich
Ain Hirten vom schlaf gwarsamlich /
Als im ain Schlang stelt nach dem leben
100   Hat er mir disen dank hie geben /
Hat mich mit seiner hand zerriben
Das ich für die Schlang tod bin pliben /
Also gar hat undanckbarkait
Die Welt eingnommen weit und prait
105   Das sie auch erraicht uns klain Schnaken /
Mit irn untreuen Klauenshaken.
Derhalben wan schon auch vileicht
Undankbarkait die Flöh erschleicht
Han sie sich zuverwundern nicht /
110   Weils auch irn Sommerbrüdern gschicht.
Dan wecken gschicht allzeit mit schrecken /
Drum deitens ubel sehr die Gecken.
Mir aber thut es besser schmecken
Das mich die Flöh und Schnaken wecken
115   Dan das mich Kaz und Schlangen lecken:
Dan dort vergeht gar bald der schrecken
Und machen nur rot klaine flecken:
Dise aber voll untreu stecken
Und pflegen zu dem Tod zustrecken.
120   Wem aber also wol will schmecken
Das hinden krazen / fornen lecken /

110 Sommerbrüder: Mücken. – 119 strecken: foltern.

Der wisch das Gsäs gar an die Hecken
Und wesch das Andliz gleich im Becken /
Und seh welchs im wöll besser schmecken.
125   Wolan / ain Floh thut mich schon schrecken /
Das ich aufhören soll zugecken.
Gut Nacht / biß mich di Flöh wider wecken.

End.

Getruckt zu Strasburg / bei Bernhart Jobin.
Anno 1.5.77.

126 gecken: scherzen.

ZUR TEXTGESTALT

In der vorliegenden Ausgabe wird Fischarts *Flöh Haz*
nach der vom Autor selber erweiterten Zweitfassung von
1577 neu gedruckt.

Die Wiedergabe erfolgt nach dem Exemplar der Zen-
tralbibliothek Zürich (Sign. Gal. XXV 355):

Flöh Haz / Weiber Traz| Der wunder unrichtige /| und
spotwichtige Rechtshandel der| Flöh mit den Weibern:
Ain Neu geläs / auf| das uberkurzweiligst zu belachen /
wa anders| die Flöh mit stechen aim die kurzweil| nicht
lang machen.| Durch Hultrich Elloposcleron / auf ain|
neues abgestosen und behobelt.

Zwischen Haupttitel und dem nachfolgenden Gedicht
ist eine Holzschnittvignette eingeschoben, mit der Dar-
stellung von vier Frauen und einem Kind, die nach
Flöhen jagen. Das Gedicht lautet:

Wer willkomm kommen will zu Haus /
Kauf seim Weib dis Buch zu voraus /
Dan hierinn find sie weg und mittel
Wie sie die Flöh aus Belzen schüttel.
Und hüt sich jdermäniglich
Bei der Flöh ungnad / biß und stich /

1. 5.   Das er dis Werk nit nach wöll machen / 77

Weil noch nit ausgfürt sint die sachen:
Dan der Flöh Appellation
Mag noch inn kurzem nachher gon:
Auch bald der Belz Defension.

Erst am Schluß des 72 Blätter umfassenden Bändchens
in 8°, auf der letzten Seite, werden Drucker- und Druck-
ortangabe gegeben: Getruckt zu Strasburg / bei Bernhart
Jobin. Anno 1.5.77.

Der Wortlaut unseres Textes folgt bis in Eigenwilligkeiten der Schreibweise und Interpunktion dieser Fassung. Nur wurden – der leichteren Lesbarkeit halber – u, v, w, und i, j nach ihrem Lautwert geschieden, sodaß u, i für Vokal und v, w und j für Konsonant stehen. Aus drucktechnischen Gründen wurden a, o, u mit übergeschriebenem e und u mit übergeschriebenem o zu ä, ö, ü, u vereinfacht, womit – auch in den wenigen Fällen von ů und ů (vgl. Hauffen, Fischart II, S. 292) – auf Kosten der konsequenten Fischartschen Graphie der Lautwert wiedergegeben ist. ꝛ wurde als r gesetzt. Die Abkürzungen wurden aufgelöst.

Gegenüber dem Original wurden folgende Fälle verbessert oder verdeutlicht: 1443 daurt > daurst; 1710 gschummen > gschwummen; 2560 seit > zeit; 2618 wir > wie; 2833 Shiff > Schiff; 2768, 2834 Rein > Rhein.

Die beiden im Original unterschiedlich wiedergegebenen Virgeln (lange und kürzere, schrägere Virgel: / , ⁄) werden einheitlich durch / wiedergegeben. Bei der vielfach wahllosen Interpunktion empfahlen sich Änderungen:

.>?: 77, 2083, 3460, 3724, 3960, 3976, 4054; 54 (Flohlied).

?>.: 42, 430, 3148, 3796.

:>?: 426, 2660, 2678, 3470, 3504, 3524.

/>?: 811, 2423, 3409.

.>/: 2330, 2959, 2991, 3007, 3117, 4099.

/>.: 762.

Neu gesetzt wurde Punkt: 388, 1368, 1640, 2062, 2198, 2218, 2278, 2892, 2914; Doppelpunkt: 1221, 1472; Virgel: 3411. Weggelassen wurde der Punkt: 375, 425, 429, 534, 935, 1483, 1629, 2039, 2879, 2898, 2949, 3482, 3982; ein Fragezeichen: 381, 3466.

Die wesentliche Neuerung gegenüber dem Original besteht darin, daß anstelle der zeitgenössischen Fraktur Antiqua gesetzt wurde, eine drucktechnisch sich aufdrängende Änderung, die der leichteren Lesbarkeit des Textes nur dienlich sein wird.

Die dem Text beigegebenen Wort- und Sacherklärun-
gen wurden aus den Editionen Kurz', Goedekes und
Hauffens übernommen und verschiedentlich ergänzt.

BIBLIOGRAPHISCHE HINWEISE

Neudrucke

Flöh Haz, in: Johann Fischart's sämmtliche Dichtungen, herausgegeben von Heinrich Kurz, Zweiter Theil, Leipzig 1866,
S. 1–118.
Der Flöhhaz von Johann Fischart, Abdruck der ersten Ausgabe
(1573), herausgegeben von C. Wendeler, Halle a. S. 1877
(= Neudrucke deutscher Literaturwerke des 16. und 17. Jahr-
hunderts, Bd 5).
Flöh Haz, in: Dichtungen von Johann Fischart, genannt Men-
zer, herausgegeben von Karl Goedeke, Leipzig 1880, S. 1–125.
Flöh Haz, in: Johann Fischarts Werke, Eine Auswahl, heraus-
gegeben von Adolf Hauffen, Stuttgart o. J. (1895; Deutsche
National-Litteratur, herausgegeben von J. Kürschner, 18. Bd);
Erster Teil, S. 1–129.

Literatur

Hugo Hayn / Alfred N. Gotendorf, *Floh-Litteratur (de pulici-
bus) des In- und Auslandes, vom 16. Jahrhundert bis zur
Neuzeit,* München 1913.
Adolf Hauffen, *Johann Fischart, Ein Literaturbild aus der Zeit
der Gegenreformation,* 2 Bände, Berlin/Leipzig 1921/22
(Bd 1, S. 154–161).
P. Koch, *Der ,Flöhhatz' von J. F. und Mathias Holtzwart,*
Phil. Diss. Berlin 1892.
J. Pohl, *Zu Fischarts ,Flöhhatz',* Euphorion 8 (1901), S. 713
bis 716.
Hugo Sommerhalder, *Johann Fischarts Werk, Eine Einführung,*
Berlin 1960 (S. 40–52).

ZEITTAFEL

1546 od. anf. 1547	Johann Baptist Friedrich Fischart als erstes von sechs Kindern des Gewürzhändlers Hans Fischer, genannt Mentzer (= Mainzer), in Straßburg geboren.
um 1553	Besuch des Straßburger Gymnasiums, das damals unter der Leitung des bedeutenden Humanisten Johann Sturm stand, wahrscheinlich bis 1563.
um 1561	Tod von Fischarts Vater.
um 1563	Besuch der Lateinschule in Worms, deren Rektor Fischarts Gevatter Kaspar Scheit war, wahrscheinlich bis Frühjahr 1565.
1565	Bis in die 70er Jahre Bildungs- und Studienreisen nach den Niederlanden, Frankreich (Studium am Collège de France in Paris), England und Italien (Studium der Rechtswissenschaft in Siena).
10. Juni 1567	Heirat des Druckers Bernhard Jobin aus Pruntrut mit Fischarts ältester Schwester Anna. Als Herausgeber spielt Jobin in Fischarts Leben eine bedeutende Rolle.
seit 1567	Johann Fischer nennt sich von nun an Fischaert oder noch häufiger Fischart.
1568	Erwerbung der Magisterwürde in Straßburg.
1570	*Nacht Rab oder Nebelkräh.*
1571	*Der Barfüsser Secten und Kuttenstreit.* *Von S. Dominici . . . und S. Francisci . . . Leben.*
1572	*Eulenspiegel Reimensweis.* *Aller Practick Grossmutter.*
1573	*Flö Hatz Weiber Tratz.*
1574	Doktorat beider Rechte in Basel.
1575	*Affentheurlich Naupengeheurliche Geschichtklitterung* (Teilübersetzung von Rabelais' *Gargantua;* der hier genannte Titel stammt aus der Ausgabe letzter Hand aus dem Jahre 1590).
1576	Übersiedlung von Basel nach Straßburg, Erwerbung des Straßburger Bürgerrechts.

1577	*Das Glückhafft Schiff von Zürich.*
	Podagrammisch Trostbüchlin.
1578	*Das Philosophisch Ehzuchtbüchlin.*
1579	*Binenkorb Des Heyl. Römischen Imenschwarms.*
1580	*Das Jesuiterhütlein.*
1580–1583	Praktikum am Reichskammergericht in Speyer.
11. Nov. 1583	Heirat Fischarts mit Anna Elisabeth Hertzog in Wörth. Ernennung Fischarts zum Amtmann (Vorsitzender beim Hochgericht, Forstrichter, Polizeichef) in Forbach.
29. Aug. 1584	Geburt von Fischarts Sohn Hans Bernhard.
4. Aug. 1588	Geburt von Fischarts Tochter Anna Elisabeth.
1588	Bündnis zwischen Zürich, Bern und Straßburg, das Fischart in fünf Gedichten und mit zwei größeren Prosastücken feierte.
Ende 1590	Tod Fischarts, der vermutlich das Opfer einer Seuche wurde.

NACHWORT

Im Jahre 1573 ließ Johann Fischart bei seinem Schwager Bernhard Jobin in Straßburg erstmals sein inzwischen berühmt gewordenes Tierepos (unter dem Titel) *Flöh Hatz Weiber Tratz* (= Trotz) erscheinen. Daß Fischart der Autor dieses Werks war, ließ sich nur den unter der Überschrift des Schlußgedichtes stehenden Initialen J. F. G. M. (Johann Fischart Genannt Mentzer = Mainzer) entnehmen. Allerdings kann Fischart auch nur beschränkt als Autor der Erstfassung der *Flöh Hatz* in Anspruch genommen werden. Denn aus einer weiteren Initialenangabe (auf der Rückseite des Titelblattes, anschließend an ein kurzes Gedicht in lateinischen Distichen) läßt sich mit Sicherheit schließen, daß der ganze erste Teil des Werkleins, die Flohklage, von Mathias Holtzwart, dem Rappoltsweiler Stadtschreiber und Freund des Verlegers Jobin, verfaßt worden sein muß. Von Fischart, der die Holtzwartsche Flohklage bei Jobin kennenlernte, stammen die beigefügte Schilderung der Gerichtsszene, die Angabe der dreizehn Rezepte zur Vertreibung der Flöhe, das der volkstümlichen Überlieferung entnommene Flohlied und der Epilog. Das Werk muß großen Erfolg gehabt haben, denn bald war es vergriffen, wie Fischart selbst berichtet (in der Ausgabe von 1577, V. 15 ff.).

Nach vier Jahren schon erschien daher eine Neuauflage unter Fischarts Decknamen Hultrich (= Johannes) Elloposcleros (ἐλλοπό = Fisch + σκληρος = hart). Die Ausgabe von 1577 stellt nun allerdings eine völlige Neufassung der 1573 erschienenen *Flöh Hatz* dar: Sie ist auf nahezu das Doppelte erweitert und enthält von ehemals 892 Versen Holtzwarts nur noch deren 240. Die annähernd 4000 restlichen Verse stammen durchwegs von Fischart, sodaß erst diese Zweitfassung als Originalwerk Fischarts angesprochen werden kann.

Am Aufbau hat sich im Vergleich zur ersten Fassung
nicht viel geändert. Im ersten Teil, der jetzt die Überschrift: ‚Erneuerte Flohklag‘ erhielt, änderte Fischart
natürlich am meisten. Der erzählende Floh, der seine
Klage über die Weiber an Jupiter richtet, ist verwundet,
was seinen Ausführungen einen realistischen Anstrich
verleiht. Fischarts methodische Amplifikation eines Stoffes, der ihm in einer ersten Bearbeitung von fremder
Hand vorbereitet wurde, bewährt sich hier in ihrer Eigenart besonders. Was in der Holtzwartschen Bearbeitung
des Themas noch blaß und allgemein erschien, das bekommt bei Fischart von Situation und Sprache her den
Charakter des Differenzierten. Der sprechende Floh
sowohl wie die antwortende Stechmücke, die in der ersten
Fassung kaum in Erscheinung trat, sind nun ausgesonderte Figuren aus einer unabsehbaren Masse hüpfenden
und fliegenden Ungeziefers. Der Versuch, die Flohwelt
und deren Individuen durch Konkretion zur beängstigenden Fiktion werden zu lassen, wird am deutlichsten
in der Weise sichtbar, wie Fischart die auftretenden Flöhe
mit Namen versieht. Holtzwart nannte nur zwei Flöhe
namentlich (Beißhart, Zwicksi). Fischart hingegen rückt
gleich über 60 Flöhe durch heraushebende Namengebung
ins Licht vorgetäuschter Wirklichkeit. Die meisten Flohnamen Fischarts sind unmittelbar verständlich und bestehen oft aus einem knappen, sprechenden Imperativ:
Bortief, Fechtimbusch, Habhindenacht, Hupfundschlück,
Nimmerru, Knillenscheu (Scheue das Knillen, d. h. das
Knallen, wenn ein Floh zerdrückt wird), Leistapp, Pfezsielind usw. Ebenfalls zur Tendenz Fischarts nach desillusionistischer Schilderung der Realität gehört seine pointierende Schilderung komischer Situationen, die in der neuen
Fassung an Schärfe gewonnen haben. Auch rein formal
ist die Zweitfassung in mancher Hinsicht besser als die

Erstfassung: der metrische Bau und die Reimkunst wurden korrigiert; sprachliche Härten wurden ausgemerzt.

Da der Text des zweiten Teils mit der Gerichtsszene, in welcher der Flohkanzler das Treiben der Flöhe verurteilt, ohnehin schon von Fischart stammte, finden sich hier weniger Änderungen. Hingegen sind neue witzige Einfälle und Exempla für den Rechtshandel hinzugekommen.

Bemerkenswert ist die Rolle des literarischen Zitats in beiden Teilen. Fischart ist bestrebt, sein Epos mit vielen Anleihen bei der zeitgenössischen und antiken Literatur zu schmücken. Er erweist sich in der Art seiner geschichtlichen und literarischen Anspielungen als Schüler der humanistischen Tradition, der er trotz neuer, manieristischer Tendenzen in seinem Schaffen immer geblieben ist. Aus der antiken Überlieferung erwähnt er[1] Ulysses und Kyklops (1817 f.), den Tyrannen Phalaris (1087), die Bewohner von Myus in Jonien (3595) und das Aurum Tholosanum (1219). Er zitiert die *Naturgeschichte* des Plinius (3105 und 3683), Herodot (3490), Ovids *Metamorphosen* (3305) und die Elegie *De nuce* (2368). Anspielungen auf zeitgenössische Geschehnisse finden sich bei der Erwähnung des Benzenauers (1538) und des Wiedertäufers König (4075). Vor allem wichtig ist sodann die Rolle des volkstümlichen und literarischen Erzählgutes der Zeit. Fischart gibt die Sagen von den norwegischen Königstöchtern, die von Bären geraubt werden, (nach Olaus Magnus) wieder, zitiert die Märchen vom Bruder Lustig (114), vom tapferen Schneiderlein (667), von den drei Faulen (1886), die Sage vom Hündlein in Bretten (140), von Alexander von Metz (4085), eine Legende von St. Peter (344), von St. Martin (3287 ff.) und vom Märtyrertod anderer Heiliger (1667,

---

1. Bei der Angabe von Fischarts Zitierungen und Quellen halte ich mich ganz an Hauffens Ausführungen in der Einleitung zu seiner Ausgabe der *Flöh Hatz*, S. X ff. (vgl. Literaturhinweise).

1787). Eine Reihe von Fabeln – alle in Burkhard Waldis'
Esopus enthalten – werden von Fischart mehr oder weniger ausführlich erzählt: die Fabel vom abergläubigen
Wolf (887), von der Stadt- und Feldmaus (1917), von
der alten und der jungen Maus (2052 ff.), von den Fröschen und dem Storch (2729), von der Spinne bei Hofe
(2565). Entscheidender als diese gelegentlichen Anspielungen ist jedoch jenes oft paraliterarische, unter satiri-
schen Absichten weitergereichte, oft aber auch bloß als
Situationswitz entstandene Erzählgut, in dessen Mittelpunkt der Floh und dessen Ambiance, der Mensch und
vor allem das Frauengeschlecht, stehen. Vor Fischart fehlt
zwar eine extensive literarische Behandlung der Floh-
thematik; hingegen ist die Funktion des Flohs in der
Fabelliteratur als „Aufhänger" für die pikante Schilderung gewagter Situationen altbekannt: der Floh, gleichsam als feinstes Tastorgan männlicher Imagination, als
Erkunder des weiblichen Körpers, diese seltsam über-
hitzte, erotische Konstruktion bildet wohl die erste In-
spiration eines mittelalterlichen Flohliteraten wie Ofilius
Sergianus, der eine Elegie *De pulice* verfaßte, in der er
sich mit üppiger Einbildungskraft den Wunsch ausmalt,
als Floh seine Auserwählte zu besuchen: ein Werk, das
man lange Ovid, dem Autor der *Ars amatoria,* zugeschrieben hat. In der niederen Komik wurde dieser Ge-
danke neben anderen erotischen Obsessionen gerne auf-
gegriffen und immer wieder – meistens überdeutlich –
abgehandelt. Exemplarisch etwa im *Neithart Fuchs,* wo
das sexuelle Wunschdenken den Floh als Vehikel seiner
Ausschreitung gebraucht:

> Ach vnd we, das ich nit ein schwarczes flöchlin bin,
> das ich auf minneglichem leib
> leg one sorg vnd schreck,
> so deicht mir vor allem kauf ein guot gewin,
> das ich das seiberliche weib

solt in ir heitlin zwicken,
von einem pristlin zuo dem andern springen,
vill guotes muocz auf ieren nabel pringen,
pei weissen beinen in das schwarcz ein tringen.

(V. 1943-1951; Ausgabe von F. Bobertag,
Deutsche National-Litteratur Bd 11.)

Zugunsten einer noch derberen, primitiven, auch des Pikanten entbehrenden Vulgärerotik, deren Reiz wohl immer ein Geheimnis des 16. Jahrhunderts bleiben wird, wurde dieses Motiv, durch das biologische Dogma einer Vorliebe der Flöhe für die Weiber, pervertiert. Das Resultat dieser Wendung ist der bloße Schwank, dessen Situationskomik sich zum Teil in sadistischer Lust am erniedrigten und entblößten Körper der Frau erschöpft. Seit Wittenwilers *Ring* (Ausgabe von Wiessner, Leipzig 1931, V. 6133 ff.) und Heinrich Bebels ausführlicher Erörterung des Problems: ,Cur pulices plus mulieres quam viros infestent' in seinen *Facetien* (vgl. dazu Fischarts *Flöh Hatz* V. 1063 ff.) wird dieses Thema bis zu Fischart mit Vorliebe abgehandelt: in neuen Bearbeitungen von Fabeln des Aesop (Burkart Waldis), bei Paulus Diaconus, in lateinischen Dichtungen vieler (französischer) Humanisten, ausführlich in den Floh-Enkomien von Calcagninus und Gallissardus, vor allem aber immer wieder in der Schwankdichtung (Bebel, Lindener, Montanus, Sachs usw.), dann auch in Volksliedern. Fischart war wohl ziemlich gut orientiert über seine Vorgänger; das beweisen seine vielen Anspielungen und Zitate, in denen diese fragwürdige literarische Tradition zu Worte kommt.

Die Rezepte gegen die Flöhe, die Fischart seinem Opus beifügt, haben volkskundlichen Dokumentationswert; sie dürften mit Erfolg angewendet worden sein. Das Lied vom Krieg der Weiber gegen die Flöhe stammt nicht von Fischart, sondern ist ein altes Volkslied, das sich schon 1530 nachweisen läßt und verschiedentlich gedruckt wurde. Thematisch ähnliche Flohlieder sind bis ins 17. Jahrhundert, ja bis an die Schwelle der Neuzeit – etwa in der schweizerischen Volksliedüberlieferung – faßbar.

Fischarts Epilog ist reich an literarhistorischen Verweisen: auf die pseudohomerische *Batrachomyomachia* (1595 von Rollenhagen mit einer Unzahl von Zugaben verdeutscht), auf die pseudovergilische *Culex* und die während des Mittelalters Ovid zugeschriebenen Gedichte *Nux* und *De pulice,* auf die heute unauffindbaren Enkomien über Thersites und über das viertägige Fieber von Favorinus aus Arles. Lukians *Kunst des Schmarotzens,* sein *Hymnus auf die Fliege,* des Synesius von Kyrene *Lob der Kahlheit,* die *Fabeln* Aesops, Erasmus' *Lob der Torheit,* Agrippas *Lob des Esels,* des Cardanus *Nero,* die *Pugna porcorum,* Brants *Narrenschiff,* Eisslers *Lob der Narrenkappe* (heute unbekannt), Doktor Knausts *Lob der Ameise* und die *Wolfsklage* (in Analogie zur Flohklage) werden erwähnt; im ganzen eine respektable Parade einschlägiger Literaturwerke.

Es bleibt die Frage nach einer allfälligen Interpretation von Fischarts *Flöh Hatz,* die so etwas wie einen Höhepunkt der Flohliteratur darstellt. Man wird dieses seltsame Tierepos gerade auf Grund der makabren Transposition menschlicher Verhältnisse nach Pulicana einerseits und der vorgeführten Reflexion des Flohs über den Menschen (in der Flohklage) andererseits als ein Groteskwerk[2] ansprechen müssen. Grotesk ist, daß der Floh ungeniert von seiner Flohfamilie und seiner leicht erotisch gerichteten Fähigkeit berichtet, eine schöne Jungfrau höheren Standes von alten Weibern und Mägden zu unterscheiden. Die Floheltern erhalten Vater- und Mut-

2. Vgl. Wolfgang Kayser, *Das Groteske, Seine Gestaltung in Malerei und Dichtung,* Oldenburg und Hamburg 1957.

terwürden, ihr gewaltsamer Tod löst beim Sohn Schmerz und Trauer aus. Damit werden menschliche Verhältnisse tierisch maskiert und so entlarvt. Menschliche Verhältnisse werden aber ein zweites Mal entlarvt durch den Blickwinkel, aus dem sie hier gesehen werden. Die Flohperspektive rückt den Menschen – und das verschärft die Groteske – in seiner ganzen Erbärmlichkeit in ein völlig desillusionierendes Licht. Die durch die Flöhe belästigten Weiber verlieren jegliche Scham, pervertieren die Mode, werden bloß zu Momenten ihres vitalen Hasses gegen die kleinen Widersacher. Das Ungeziefer zwischen Haut und Kleid, abgründig und allgegenwärtig in die Topographie des Leibes versteckt, stellt die Frau in ihrer Körperlichkeit bloß, ja – bei den von Fischart mit Sorgfalt und Vorliebe geschilderten alten Weibern – in ihrer schrundigen Oberflächenanatomie. Die Lust an dieser Desillusionierung des weiblichen Körpers ist sadistisch und muß als Literatenrache am sonst gefeierten Objekt, an der Frau, verstanden werden. Der Dichter, allzulange dem sittigenden Leitbild der Frau huldigend, vertauscht Verehrung mit Haß und Hohn und macht dadurch die Zote literarisch. Die doppelte Brechung des Menschlichen im Tierischen signalisiert eine innere Gefährdung des Menschen selbst, der in die Lust am Grotesken auszuweichen sucht, aber für die verlorene Unschuld und Idealität des Lebens nur die Obsession durch das Tierische einhandelt.

Diese Obsession wird bei Fischart im zweiten Teil seiner *Flöh Hatz* allerdings einigermaßen relativiert, aber ohne daß der Leser vom Druck der hintergründigen Insektologie des ersten Teils befreit würde. Zwar läßt das Verdikt des Flöhkanzlers über die Flöhe nichts zu wünschen übrig; es ist eindeutig. Die Flöhe werden zu schwarzen Teufeln und Dämonen gestempelt und doch wird ihnen eine beschränkte Wirksamkeit zugestanden. Darüber hinaus ist spürbar, daß Fischarts Sympathie trotz allem den Flöhen gehört. Dem sadistisch-erotischen Situationswitz mit seiner Degradierung der Frau zur unanständig vitalen Bestie, die sich, alles vergessend, der Flöhe entledigt, gehört seine Vorliebe. Die mikroskopisch ans Licht gebrachte Unterwelt der schwarzen Teufel ist daher an sich weniger dämonisch als die bedrohliche Desorientierung, welche der Flöhe Erscheinen bei den Frauen hervorruft. Das Dämonische ist nur an der Tatsache ablesbar, daß die ruchlose Allgegenwärtigkeit des hüpfenden Ungeziefers die Menschen dermaßen durcheinanderbringt, daß sie ihre vitale Körperlichkeit gleichsam als letzten Nenner offenbaren. Von daher mangelt Fischarts *Flöh Hatz* – wie allen dem scheinbar rein Realistischen sich anheimgebenden Dichtwerken – irgendwelche befreiende Dimension. Fischart insinuiert dem Leser einen Alpdruck, von dem dieser sich selber wieder zu befreien hat.

Man wird wohl nicht fehlgehen, wenn man dieses Werk im Zusammenhang des zeitgenössischen Manierismus zu sehen versucht, wie er sich in Malerei und Dichtung als künstlerische Form einer neurotischen Selbstentfremdung des Menschen artikuliert. Die ganze Tradition entlarvender Tierdichtung[3] oder ganz allgemein grobianischer Tendenzdichtung, wie sie im 16. Jahrhundert allenthalben faßbar wird, ist letztlich Ausdruck dieser handfesten Selbstkonfrontation des Menschen mit sich selbst, der sich einzig in der Tiermaske oder in der Reduktion zum Vitalpopanz wiedererkennt.

Alois Haas

3. Für die Tradition der grotesken Tierepik vgl. K. E. Schmidt, *Vorstudien zu einer Geschichte des komischen Epos,* Halle a. S. 1953.

INHALT

Flöh Hatz, Weiber Tratz 5

    Erneuerte Floh klag 7
    Notwendige Verantwortung der Weiber . 85
    Recept für die Flöh 137
    Flöhlid 139
    Friden und rue vor den Flöhen 140

Zur Textgestalt 145

Bibliographische Hinweise 147

Zeittafel 148

Nachwort 151

Deutsche Literatur des 16. Jahrhunderts

IN RECLAMS UNIVERSAL-BIBLIOTHEK

Eine Auswahl

Sebastian Brant, Das Narrenschiff. Übertragung von H. A. Junghans, durchgesehen und mit Anmerkungen sowie einem Nachwort neu herausgegeben von Hans-Joachim Mähl (mit 115 Holzschnitten). 899/900/00a-d

Johann Fischart, Flöh Hatz, Weiber Tratz. Herausgeben von Alois Haas. 1656/56a
– Das Glückhafft Schiff von Zürich. Herausgegeben von Alois Haas. 1951

Heinrich Julius von Braunschweig, Von einem Weibe. Von Vincentio Ladislao. Komödien. Herausgegeben von Manfred Brauneck. 8776/77

Historia von D. Johann Fausten, dem weitbeschreyten Zauberer und Schwarzkünstler. Mit einem Nachwort herausgegeben von Richard Benz. 1515/16

Ein kurtzweilig Lesen von Dil Ulenspiegel. Nach dem Druck von 1515. Mit 87 Holzschnitten. Herausgegeben von Wolfgang Lindow. 1687/88/88a/b

Lateinische Gedichte deutscher Humanisten. Lateinisch und deutsch. Ausgewählt, übersetzt und erläutert von Harry C. Schnur. 8739-45

Meistersang. Meisterlieder und Singschulzeugnisse. Auswahl und Einführung von Bert Nagel. 8977/78

Paul Rebhun, Ein Geistlich Spiel von der Gotfürchtigen und keuschen Frauen Susannen (1536). Unter Berücksichtigung der Ausgaben von 1537 und 1544 kritisch herausgegeben von Hans-Gert Roloff. 8787/88

Hans Sachs, Meistergesänge. Fastnachtspiele. Schwänke. Auswahl, Erläuterungen und Nachwort von Eugen Geiger. 7627

PHILIPP RECLAM JUN. STUTTGART